□ = △ + ▽ = ✡ = ○

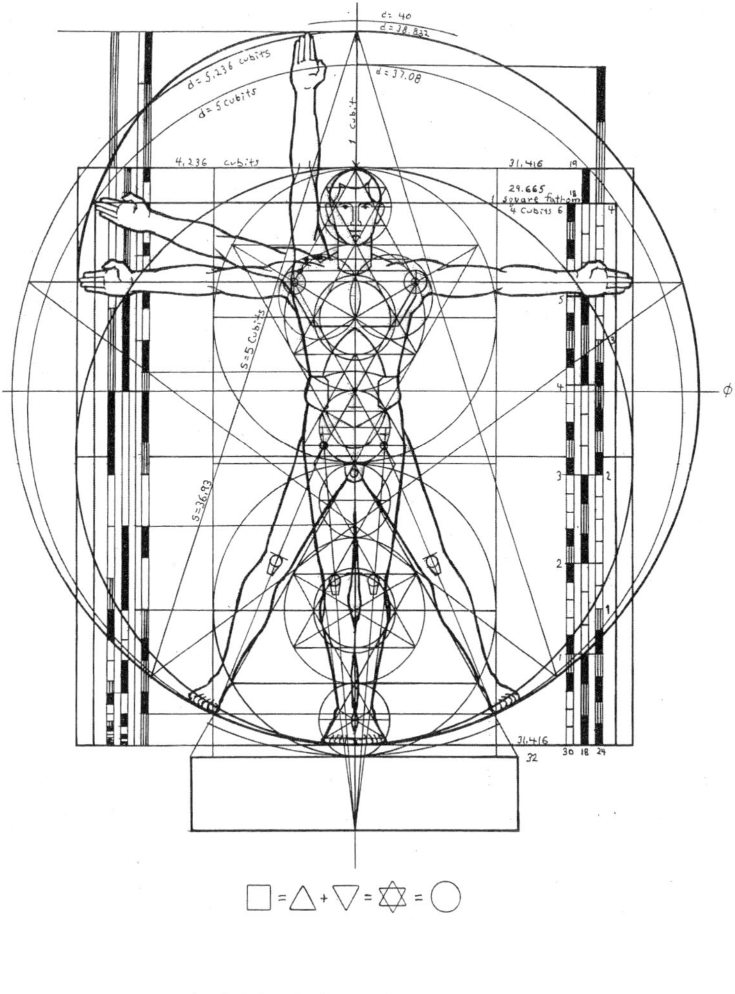

ウィトルウィウス的人体図（ハーディングより）

黄金比

自然と芸術にひそむもっとも不思議な数の話

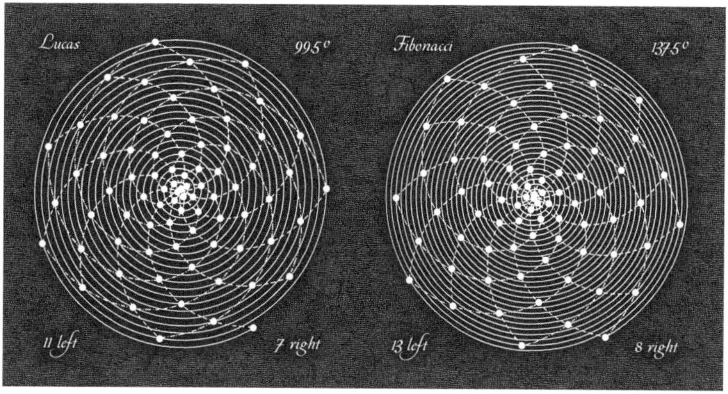

スコット・オルセン 文

藤田 優里子 訳

謝辞　愛する両親、アイリーンとクラリオンに深く感謝の気持ちを捧げます。

　また、キース·クリッチロウ、ジョン·ミッチェル、ランス·ハーディング、ベンジャミン·ブライトン、ガース·ノーマン、マーク·レイノルド、ロビン·ヒース、パブロ·アマリンゴ、ザカライア·グレゴリー、そして編集者のジョン·マルティノー、皆様には深く感謝しております。

　ダン·ペドウ、デヴィッド·ボーム、ヒューストン·スミス、ダグラス·ベイカー、スティーヴン·フィリプス、エドガー·ミッチェル、デヴィッド·フィドラー、ガリレオ·ペドロザ、ロバート·パウエル、アレクセイ·スタコフ氏、マイケル·バロン、ビル·フォス、皆様と議論を交えることができたのは大変よろこばしいことでした。ありがとうございました。

　また、最愛の妻パム、本当にありがとう。長期有給休暇を許可してくれたセントラル·フロリダ·コミュニティ·カレッジにも感謝しております。

　さらに、P.ヘミンウェイの*Divine Proportion*（神聖比例論）、G.ドッチの*Power of Limit*（極限の力）、M.シュナイダーの*Golden Section Workbook*（黄金分割ワークブック）、財団法人カイロスによるΦ *Worksheets*（Φのワークシート）、M.リヴィオの*Golden Ratio*（黄金比）、M.ギカの*Geometry of Art & Life*（芸術と生物の幾何学）、H.E.ハントリーの*Divine Proportion*（神聖比例論）、R.A.ダンラップの*The Golden Ratio*（黄金比）も参考にさせていただきました。本当にありがとうございました。

（上図）フランチノ·ガフーリオの初期の木版画《自由科目の授業》
（前頁）アルキメデスの螺旋をえがくリュカ螺旋葉序（左）とフィボナッチ螺旋葉序（右）。（バーシル、ラウズ、ニーダムより）

もくじ

ヤムニッツァーによる立体の図

はじめに

自然は大いなる神秘を内包している。この神秘は自然の番人たちによって、知恵を冒涜し悪用しようとする者たちからあつく守られてきた。だが、ときに、自分の目や耳を自然の発する周波数にうまくチューニングできた人びとには、この教えの一部がそっと明かされる。何より必要なのは、日々目の前に示されている自然の驚異の深い意味を理解しようとする開かれた心、感受性、熱意、そして真剣さである。多くの人びとが、我々をとりまく美しい秩序に無感覚であるとまでは言わないにしても、ほとんど半睡状態か麻痺状態で人生を送っている。だが、手がかりとなる痕跡がひとつ残っているのである。

この教えの伝統は、遠くエジプト文明、メソポタミア文明、インダス文明、中国文明に発した数学、和声、幾何学、宇宙論などの研究の中にある。このことはストーンサークルや、古代ヨーロッパの地下埋葬室の配置や構造を見れば明らかで、その他にもたとえば、五つの正多面体の形につくられたイギリス新石器時代の石器[オックスフォードのアシュモリアン博物館収蔵]にも見てとれる。また、マヤ文明やメソアメリカ文明の遺物や遺跡にも、ヨーロッパのゴシック建築の石工たちが大聖堂にほどこしたデザインにも、手がかりは残されている。

ピュタゴラス学派の偉大なる哲学者プラトンも、謎めいた物言いではあるが、その著作や口承による教えのなかで、これらの神秘を統合する黄金の鍵の存在をほのめかしている。

ここで読者のみなさんにお約束をする。この小さな本を一歩一歩読み進めてくれたなら、読み終える頃には、深く刺激的な洞察とまではいかないとしても、偉大なる自然の神秘への十分満足のいく魅力的な視点を得られるにちがいない。

Φの神秘

永遠なる知恵の束

黄金比の歴史を解明するのは難しい。黄金比は古代エジプトやピュタゴラス学派の教えのなかで用いられてきたにもかかわらず、最初にそれを定義したのはユークリッド(紀元前325〜265)だった。彼はそれを外中比による線分の分割と定義している。これを扱った本で、知られている中で最も古いのは、その美しさに魅入られた修道士ルカ·パチオリの『神聖比例式』である。この本にはレオナルド·ダ·ヴィンチによる挿図が載っているが、伝承によると、彼がこの比を sectio aurea、つまり「黄金比」と命名したのだという。だが、出版物でこの言葉を初めて使ったのは、マルティン·オームの『初等純粋数学』(1835年)だった。

この神秘的な分割は多くの名で呼ばれている。黄金比、神聖比、黄金平均、黄金数、黄金分割、等々。数学の記号としては、「分割」を意味するτ(タウ)か、もっと一般的には、パルテノン神殿に黄金分割を用いたギリシアの彫刻家フィディアスの頭文字をとって、Φ(ファイ)またはその小文字ϕで表す。

この謎めいた分割はいったい何なのだろう。そして、なぜ人びとを魅了してやまないのだろうか。哲学者たちが投げかける、永遠なる問いかけのひとつに「いかに『一なるもの』から万物が生じたか」というものがある。分離、分割の本質とは何か?　部分が全体と意味深い関係を保つような分割のしかたはあるのだろうか?

プラトン(紀元前427〜347)は著作『国家』でこの問題を寓意的な言葉で表し、読者につぎのように要求している。「1本の線分をとり、それを等しからざる部分に二分せよ」。謎の秘密を決して外に漏らさないというピュタゴラス学派の誓いを守らなければならなかったプラトンは、秘密に通じる答えが引き出せることを期待して、このような問いを投げかけたのだった。彼はなぜ、数ではなく線分を用いたのだろう?　また、なぜこの線分を「等しからざる」部分に二分するように言ったのだろうか?

プラトンに答えるために、わたしたちはまず、比と比例式を理解しなければならない。

シャマシュの石板（28頁を参照）

比、平均、比例式

連続比例式

比(ロゴス)は、ある数が他の数の何倍にあたるかという関係をあらわしている。たとえば4:8は4が8の何倍にあたるかをあらわし、これを「4の8に対する比」[または「8に対する4の比」]という。一方、比例式(アナロギア)は比をくり返しつないだもので、典型的なものは4つの項からなる。たとえば4:8::5:10は、「4の8に対する比は、5の10に対する比に等しい」という意味である[現代の書き方では4:8＝5:10]。ピュタゴラス学派は、これを四項不連続比例式と呼んだ。ここで、表し方にかかわらず不変な比は1:2であり、これが4:8でも5:10でもくり返されている[比例式の二番目の数と三番目の数が異なるとき(上の例では8と5)「不連続」という]。逆比(反比)とは、項の順序を入れ替えたものである。たとえば4:8の逆比は8:4で、不変比は2:1である。

二項を結びつける比と、四項を結びつける比例式のあいだにあるのが、三項を結びつける平均だ。第一項と第二項の比と、第二項と第三項の比が等しいとき、第二項を幾何平均という。二つの数の幾何平均は、それらの積の平方根に等しい。したがって、たとえば1と9の幾何平均は、$\sqrt{(1\times9)}=3$である。この幾何平均の関係を1:3:9、あるいは順序を逆にして9:3:1と書く。これは、より完全な比例式、つまり二つの比[1:3と3:9]が同じ不変比1:3をくり返す形の等式に書くこともできる。すなわち1:3::3:9である。この3が幾何平均で、二つの比に共通であり、ピュタゴラス学派が三項連続比例式と呼んだ関係式1:3::3:9のなかで、1:3と3:9の二つを結びつけている。

プラトンは、連続比例式をもっとも深遠なる宇宙の等式とみなした。その著書『ティマイオス』によると、世界霊魂は、数列 1、2、4、8と1、3、9、27をつうじて、形相(純粋数学をふくむ)からなる天上(上方)の知性界と、物質からなる地上(下方)の感性界を結びつけ、ひとつの調和ある共鳴をつくりだす。これは拡張された連続比例式1:2::2:4::4:8と1:3::3:9::9:27とあらわせる(次頁を参照)。

比：二つの数aとbの比

aのbに対する比　　a:b あるいはa/b

逆比（bのaに対する比）　　b:aあるいはb/a

平均：aとcの平均b

aとcの算術平均b　　$b = \frac{a + c}{2}$

aとcの調和平均b　　$b = \frac{2ac}{a+c}$

aとcの幾何平均b　　$b = \sqrt{ac}$

比例式：二つの比の間に成り立つ比例式

4項不連続比例式

a:b::c:d ［a:b＝c:d］

例）4:8::5:10
不変比は1:2である

3項連続比例式

a:b::b:c →a:b:c

bはaとcの幾何平均である

プラトンの『世界霊魂』：拡張された連続比例式

1:2::2:4::4:8

不変比は1:2、
つまり
1/2である

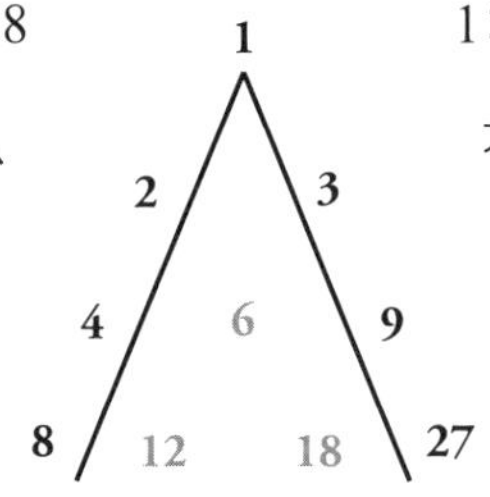

1:3::3:9::9:27

不変比は1:3、
つまり
1/3である

ラムダ型図表

プラトンの「線分の比喩」

どこで分割するべきか

それでは、先ほどの問題に戻ろう。プラトンはなぜ、線分を二つの等しからざる部分に分けよと言ったのだろうか? 等しく分割すると、(全体の長さ):(分割された線分の長さ)は2:1となり、分割された線分の長さの比は1:1となる。これらの比は等しくなく、いかなる比例式も成り立たない!

ところが、たった一つの比から比例式をつくる方法がひとつだけあるのだ。それが黄金比である。プラトンは、「長い方に対する全体の比が、短い方に対する長い方の比と等しくなる」ような、そんな特別な比を見つけよと言っているのだ。彼は、ここからあのお気に入りの自然の法則、つまり連続比例式が出てくることを知っている。このとき、逆もまた成り立つ、つまり「長い方に対する短い方の比が、全体に対する長い方の比に等しくなる」のである。

それではなぜ、数ではなく線分を用いたのだろう? それは、プラトンにはその答えが無理数になることがわかっていたからだった。この無理数は、線分上には幾何学的に表示できるが、単分数[分子も分母も整数である分数]としてあらわすことはできないのである

長い方の線分の長さ(幾何平均)を1としてこの問題を数学的に解くと、大きい方の黄金比(線分全体の長さ)は1.6180339…、小さい方の黄金比(短い方の線分の長さ)は0.6180339… となる[(1)](次頁下図中央を参照)。大きい方の黄金比はΦ(ファイ)、小さい方の黄金比はϕ(フィー)と呼ばれている。これら二つの値の積も差も1、すなわち単位元となることに注意しよう。[(2)] さらにΦの二乗は2.6180339…、つまりΦ+1であること[(3)]、またそれぞれがお互いの逆数、つまり$\phi=1/\Phi$であることにも留意しておいてほしい。

本書では一般に、分割したときの長い方の線分の長さ(幾何平均)を単位元にとり[つまり1として]、全体の長さ(大きい方の黄金比)をΦ、短い線分の長さ(小さい方の黄金比)を1/Φであらわす(次頁下図中央)。ただし、全体の長さを単位元にとることもできるし(次頁下図左)[(4)]、短い方の線分の長さを単位元にとることもできる(次頁下図右)[(5)]。

1/Φ
1/Φ²
1
1
1/Φ
Φ
Φ
1
Φ²

平面上の黄金比

五芒星形と黄金長方形

一次元の線分から二次元の平面に移っても、黄金比を見出せる。

正方形から出発して、その底辺の中点を中心に、右上の角から円弧を描くと、簡単に黄金長方形を描くことができる(下図左)。[黄金長方形とは、隣りあう辺の比が黄金比であるような長方形のこと。黄金四角形ともいう]。重要なのは、このとき生じた縦長の小さな長方形もまた黄金長方形になるということだ。この方法を二度使えば、正方形の両側に二つの小さな黄金長方形が描ける(次頁の左上)。逆に、黄金長方形から正方形を取りのぞくと残りの小さな長方形がまた黄金長方形になるので、この作業を無限にくり返すことができ、その結果として黄金螺旋が生成される(次頁の右下と表紙の図版)。

これまで見てきたように、他の比にはできないやり方で部分と全体を統一する黄金比は、古代ギリシアで生命の象徴とされてきた五芒星形(次頁の左下の星形部分)とも密接な関連がある。頂点どうしを結ぶことによって生じる線分、また、それらが交差して生じる線分の長さがすべて互いに黄金比の関係にあるのだ。五芒星形の腕にあたる二等辺三角形(これを黄金三角形という)には、しだいに大きく(または小さく)なっていく黄金三角形の列からできる、もう一つの黄金螺旋への鍵が含まれている(6)(次頁の右上)。

1本の線分を黄金分割する点は、その線分上にふたつの正方形を描き、下図(右)のような作業をおこなうことによっても見出せる。(7)

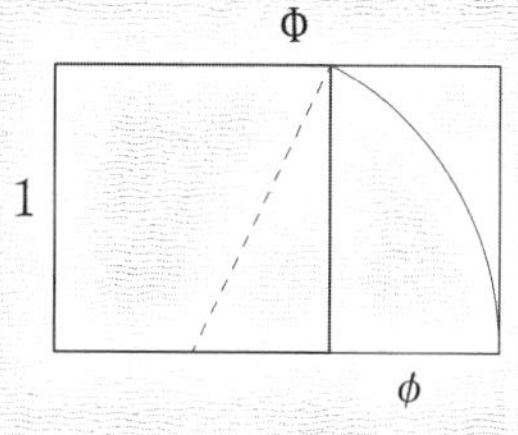

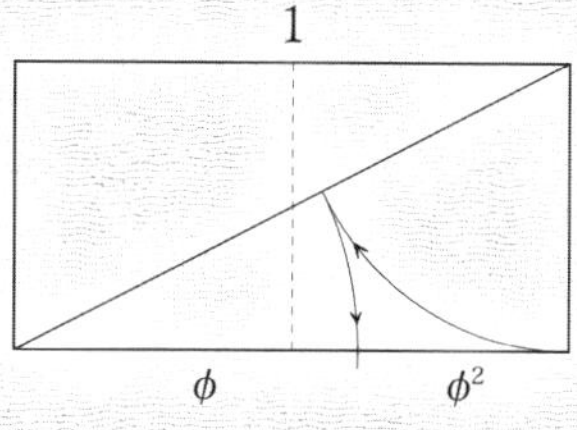

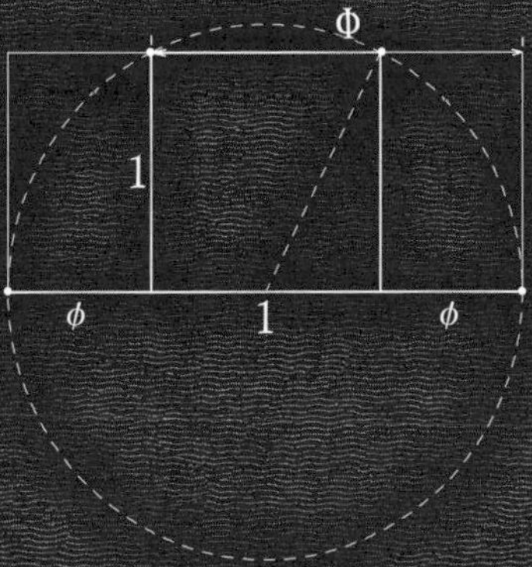

正方形からつくられた小さい方の黄金比φと大きい方の黄金比Φ

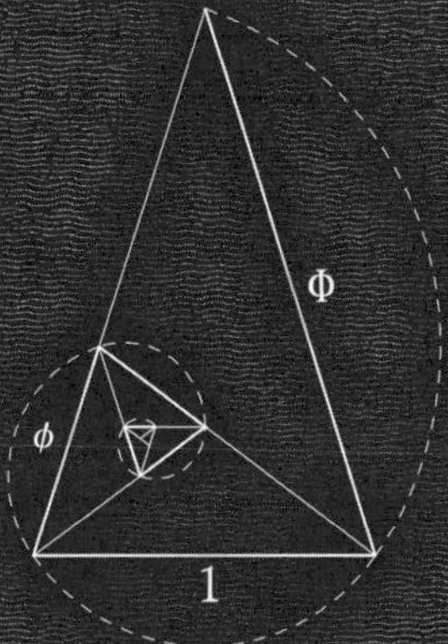

黄金三角形

平面上の基本的な黄金比——黄金比の特徴は、黄金三角形(右上)、黄金長方形(右下)、五芒星形の一辺と外接正五角形の一辺の間に成り立つΦ:1の関係(下)などにあらわれている。下の五芒星形において、「?」マークが書かれた線分の長さはそれぞれ何になるだろうか。

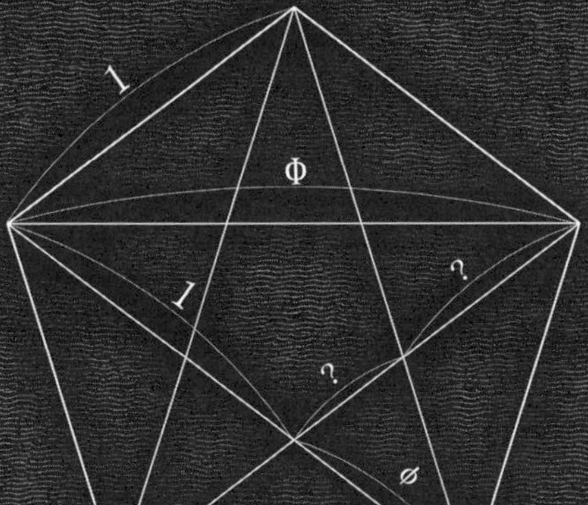

五芒星形に含まれる黄金比

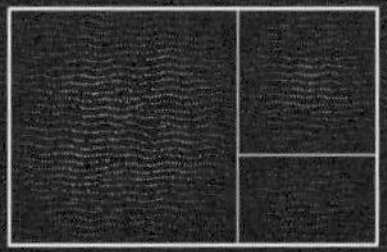

黄金長方形から
正方形を取り除いていく

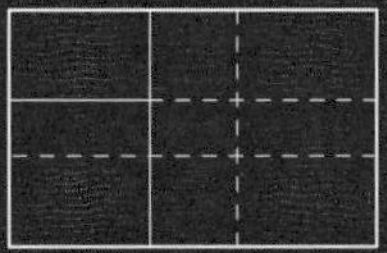

黄金長方形をラバトメント
(28、36頁参照)で分割する

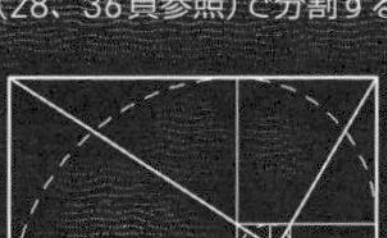

黄金螺旋の隠れた中心を見つける

フィボナッチ数列

飛石から黄金へ

黄金比はフィボナッチ数列というきわめてシンプルな整数列を通じて、自然のいたるところで表現されている。この数列は 0、1、1、2、3、5、8、13、21、34、55、89、144、233、377…というもので、どの数も先行する二つの数の和であるという意味で加法的であり、どの数もその前の数に黄金比を掛けたものに近いという意味で乗法的である。隣り合った二数の比は数が大きくなるほど黄金比に近づく。正確にいうと、隣り合った二数のうち大きい方を小さい方で割ると、その値はΦの近似値になっており、Φより大きくなったり小さくなったりをくり返しながら、神聖なる極限値Φに収束する(次頁の中段左と下段右)。どのフィボナッチ数も、その両隣りの二数の幾何平均の近似値になっている。(54頁「カッシーニの公式」を参照)

公的に認められたのは時代が下ってからだが、フィボナッチ数列は古代エジプト人や、その弟子であるギリシア人のあいだではすでに知られていたらしい。結局、19世紀にフランスの数学者エデュアール・リュカがこの数列を、フィボナッチ(本名ピサのレオナルド[1170～1250])の名をとって、フィボナッチ数列と名づけた。一つがいのウサギが1年でどのように繁殖するかという問題に答えたのがフィボナッチで、それをきっかけにこの数列が広く知られるようになったからだ(次頁の中段右図)。

フィボナッチ数列はミツバチの系統図や、株式市場のパターン、ハリケーンの雲、DNAの構成単位ヌクレオチドの配列に見られ、化学の分野では二酸化ウランと三酸化ウランの中間体である酸化ウラン化合物U_2O_5、U_3O_8、U_5O_{13}、U_8O_{21}、$U_{13}O_{34}$のように現われる。

カメの甲羅には中央に5つ、縁に8つの突起があり、5本の爪、34対の脊椎がある。また、ガボン・スネークには144対の脊椎があり、ハイエナの歯は34本、イルカの歯は233本である。ほとんどのクモには5対の肢(4対の歩脚と1対の触肢)があり、それぞれの肢は5つの部分に分かれる。そして頭胸部は8つの体節に分かれ、そこに8本の肢がある。それぞれの数字はフィボナッチ数であることがわかる(次頁中段左)。

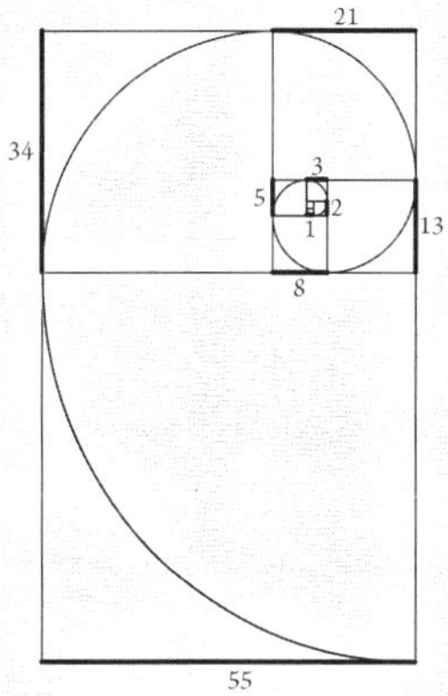

フィボナッチ黄金螺旋

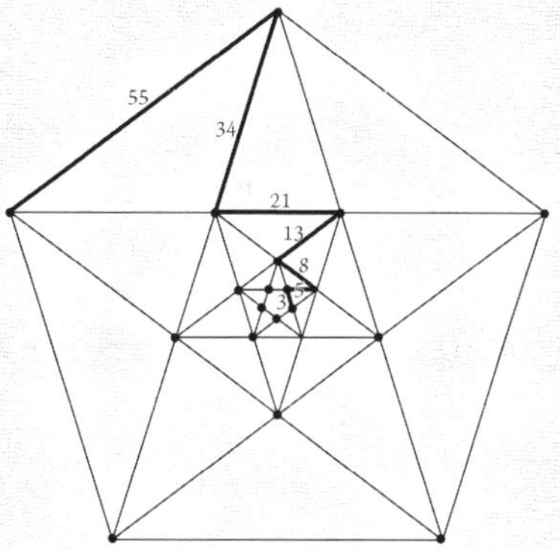

フィボナッチ数は五芒星形の線分の長さの近似値である。

0 + 1 = 1	*1/1 = 1*	*1/1 = 1*
1 + 1 = 2	*2/1 = 2*	*1/2 = 0.5*
1 + 2 = 3	*3/2 = 1.5*	*2/3 = 0.6666*
2 + 3 = 5	*5/3 = 1.6666*	*3/5 = 0.6*
3 + 5 = 8	*8/5 = 1.6*	*5/8 = 0.625*
5 + 8 = 13	*13/8 = 1.625*	*8/13 = 0.6154*
8 + 13 = 21	*21/13 = 1.6154*	*13/21 = 0.6190*
13 + 21 = 34	*34/21 = 1.6190*	*21/34 = 0.6176*
21 + 34 = 55	*55/34 = 1.6176*	*34/55 = 0.6182*
34 + 55 = 89	*89/55 = 1.6182*	*55/89 = 0.6180*
55 + 89 = 144	*144/89 = 1.6180*	*89/144 = 0.6181*

どの項も、先行する二項の和である

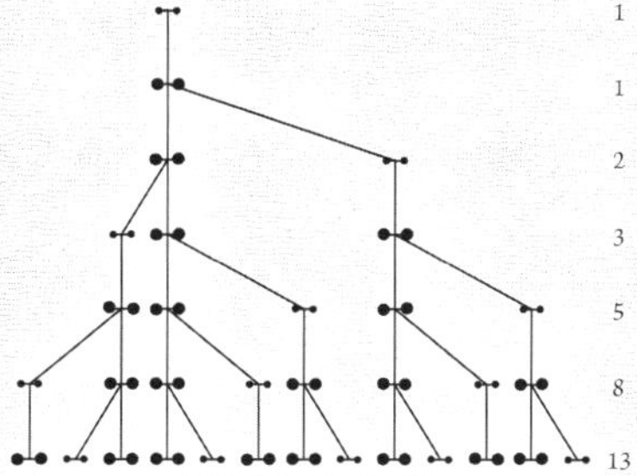

繁殖するウサギの数

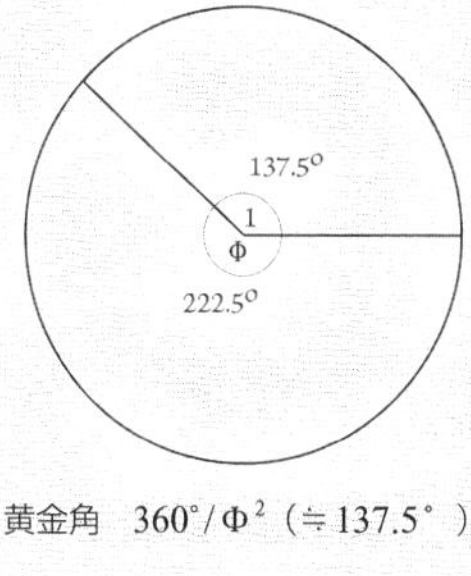

黄金角　$360^\circ/\Phi^2$（≒137.5°）

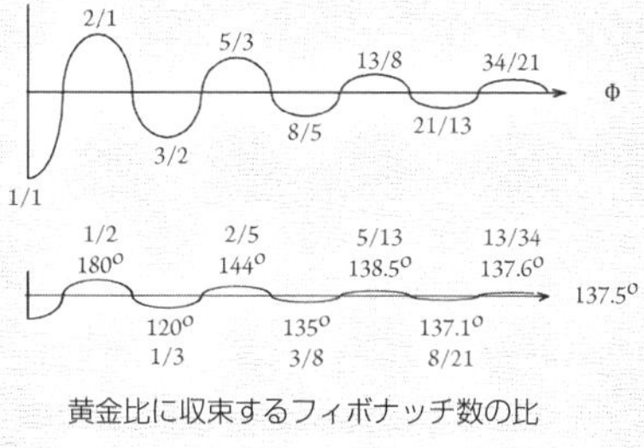

黄金比に収束するフィボナッチ数の比

葉序のパターン

茎のまわりの葉の配置

葉序研究は、19世紀に科学の一分野として出現して以来、ヒマワリの種、ヒナギクの花弁、松笠の鱗片（りんぺん）、サボテンの棘（とげ）など、さまざまな植物にみられる螺旋構造にその研究対象を広げてきた。15世紀にはダ・ヴィンチ（1452〜1519）が、植物の葉はしばしば茎のまわりに螺旋状に配置されていることに気がついた。その後、ケプラー（1571〜1630）が、野の花々の多くは五角形であること、そして葉の配置にフィボナッチ数があらわれることを発見した。

1754年、いみじくもシャルル・ボネが、ギリシア語で「葉」を意味するphullonと「配置」を意味するtaxisから、「葉序」phyllotaxis（葉が茎につくときの配列）という新しい用語を作った。1830年、シンパーは、葉のつき方に簡単なフィボナッチ数が存在することに気づき、彼が「起源的」と形容した螺旋において、「開度」（茎を中心軸として、一枚の葉と、その次の葉のなす角度）の概念を発展させた。そして1837年、ブラヴェ兄弟が、水晶のブラヴェ格子と、葉序の理想的な開度（$137.5^\circ = 360^\circ / \Phi^2$）を発見した。

植物学者のチャーチによる図（次頁の上）には、螺旋葉序の主な特徴が示されている。種の数が増えていくとき、新しい原基は茎を中心に、古い原基と137.5°の角度をなしながら形成されてゆく。七つ目の図には、種の増加にともなって生じた、アルキメデスの螺旋が見られる。下図（ステュワートによる）は、開度を137.3°、137.5°、137.6°に設定した図である。わずか0.1°〜0.2°しか違わないのに、正しい角度137.5°に設定された場合のみ、種が空間を隙間なく埋めていくことがわかる。

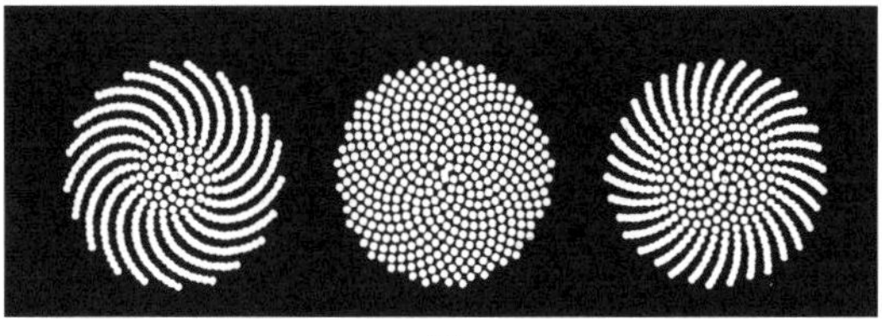

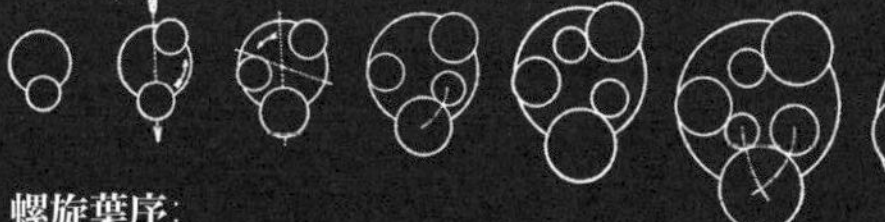

螺旋葉序:
あたらしい原基が137.5°の角度で生じるときに見られる、アルキメデスの螺旋（左から七つ目の螺旋）
アルキメデスの螺旋とは、線が等間隔な螺旋のこと。

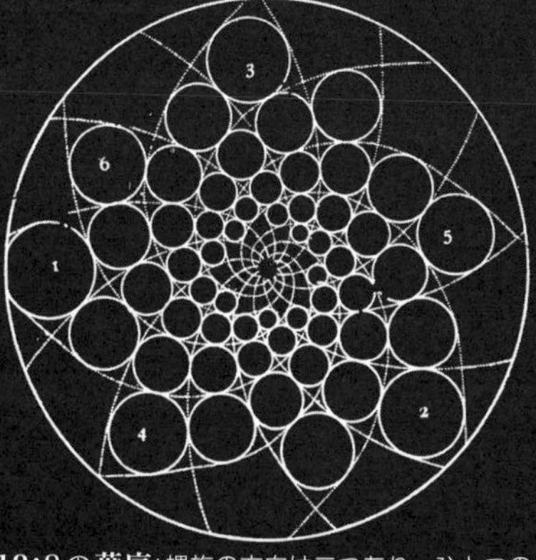

13:8の葉序:螺旋の方向は二つあり、ひとつの方向の螺旋は13本、反対方向の螺旋は8本である。これらの螺旋を斜線という。

34:21の葉序:カーブがきつく、本数が少ないほうの螺旋にドット（·印）がついている。

チリマツの断面にみられる、13:8の螺旋葉序

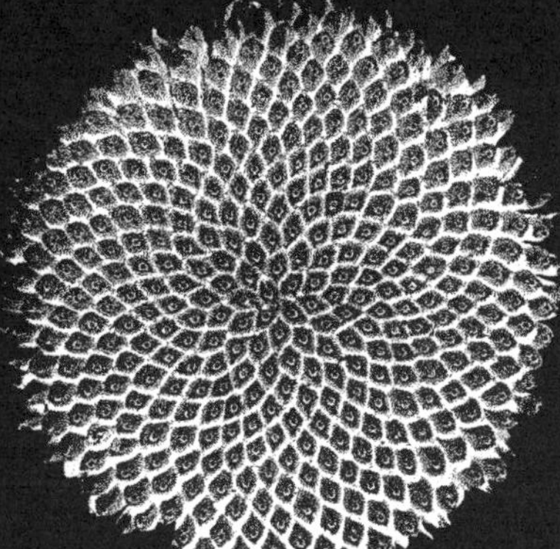

34:21の螺旋葉序を示す種の配列

多様性に秘められた秩序

私が好き、嫌い、好き．．．

茎のまわりの葉のつき方には、一見無数のパターンがあるように思えるが、基本的には3パターンしかない。その3パターンとは、トウモロコシのような二列葉序（次頁下左）、ミントのような輪生葉序（次頁下中）、そしてもっとも多く見られる螺旋葉序（25万種の高等植物のうち約80%）である（次頁下右）。螺旋葉序の植物では、葉の開度がとる値は数えるほどしかなく、それらはすべて二つのフィボナッチ数の比を使った黄金角137.5°の近似値になっている（次頁上参照。たとえば144°=360°×2/5, 225°=360°×5/8）。螺旋葉序の植物は、どの葉も最大限に日光と降雨を受けるので、光合成に有利であり、また、茎のまわりの螺旋形を伝って雨水が効率よく根まで送られる。昆虫による受粉にもこのパターンは有利である。

ヒマワリの種が形作る互いに逆向きの螺旋の本数は、隣りあったフィボナッチ数の組としてあらわれるのがふつうであり、典型的なのは55/34（=1.6176）と89/55（=1.6181）である。松笠の鱗片（りんぺん）では5/3（1.6666）や8/5（=1.6）が典型的だ。アーティチョークには、ひとつの方向の螺旋が8本、反対方向の螺旋が5本ある（下図左から二番目と四番目）。パインアップルには3方向の螺旋があり、それぞれ8本、13本、21本であることが多い（下図）。ここで21：13：8はΦ：1：1/Φを近似していることに注意しよう。実際、21/13（=1.6153）と13/8（=1.625）はΦの近似値であり、21/8（=2.625）はΦ^2、つまりΦ+1の近似値である。また、ネコヤナギでは、枝にそって螺旋が5周するあいだに13個の芽が数えられる。

公園や森林、郊外、自然道を散策することがあったら、ヒナギクの花びらや松ぼっくりの螺旋を注意して見てみよう。

8列の緩やかな斜線　5列の緩やかな斜線　13列の斜線　8列の傾斜のきつい斜線　21列の傾斜のきつい斜線

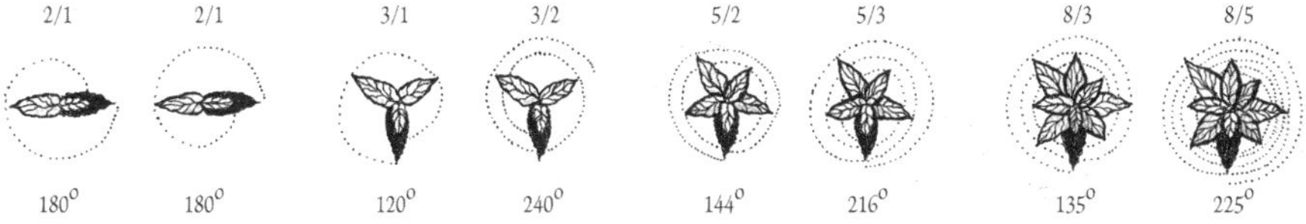

フィボナッチ数に由来する簡単な葉序 ── 各a/b葉序において、茎のまわりをb周するたびにa枚の葉が生じる。つまり葉の開度はどの場合も(b/a)×360° に等しい。aとbの値が大きくなるにつれ、開度は137.5° か222.5°(360°−137.5°)に近づいてゆく。

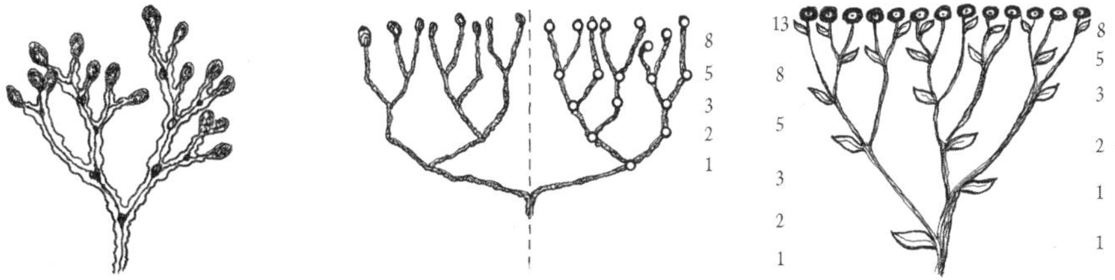

褐藻の葉状体(左)とその略図(中央)。枝の分岐の数がフィボナッチ数になっている、オオバナノコギリソウ(右)も、茎と葉の数がフィボナッチ数である。

葉序の基本3パターン(中央三つ)と二つのフィボナッチ螺旋(両端) ── 葉序は左から二列葉序、輪生葉序、螺旋葉序(バール画)。左端の植物は螺旋が5周するたびに8枚の葉が生じ(8/5の葉序)、右端のネコヤナギは5周するたびに13個の芽が生じている(13/5の葉序)。

リュカ数列の不思議

無理数から作られる整数

自然はときにフィボナッチ数とは違う数列を用いることがある。エデュアール・リュカにちなんで名づけられたリュカ数列だ。リュカ数（2、1、3、4、7、11、18、29、47、76、123、199…）は次の点でフィボナッチ数に似ている。すなわち、どの数も直前の二つの数の和に等しいという意味で加法的であり、どの数も直前の数とΦを掛けた数で近似できるという意味で乗法的である。じつは、加法的な数列であれば隣りあう二項の比はかならず黄金比に収束する。フィボナッチ数列とリュカ数列はその収束が最もはやいだけだ。整数の最初の4つがすべてリュカ数であることに注目されたい。（「テトラクティスの基礎」55頁を参照）

リュカ数の魅惑的なところは、それらが黄金比Φとその逆数1/Φの累乗を一つおきに足したり引いたりすることによって作られ、両者の無理数部分がそのたびに合わさったり引き離されたりして、結果がつねに整数になるところである（次頁の上）。それらは整数の近似値ではなく、まさに整数そのものなのだ！　この驚くべき特徴はフィボナッチ数の構造にも見られる（次頁の下）。信じがたいことだが、ここから、すべての整数が黄金比の累乗を使ってあらわせることがわかる。こうして胸の高鳴るような新しい方法で数学を構築する可能性があたえられた。整数はその構成要素として黄金比の累乗を隠し持っているのだ。

フィボナッチ数と同様に、リュカ数もまた（頻度ははるかに低いが）ヒマワリの葉序パターンに見出される（種類によっては10に1つの割合で見られることもある）。その他、ある種のヒマラヤスギ、セコイア、バルサムの木、その他の葉序のパターンにも見ることができる。

一般に、リュカ数に由来する葉序の開度 $99.5°$（$=360°/1+\Phi^2$）は、観察された全植物の葉序パターンの1.5%に認められる。これに比べて、フィボナッチ数に由来する開度は92%を占めている。（63頁を参照）

リュカ数

0	$2=\Phi+1/\Phi^{2}$	=1.61803398...+0.38196601...
1	$1=\Phi-1/\Phi$	=1.61803398...-0.61803398...
2	$3=\Phi^{2}+1/\Phi^{2}$	=2.61803398...+0.38196601...
3	$4=\Phi^{3}-1/\Phi^{3}$	=4.23606797...-0.23606797...
4	$7=\Phi^{4}+1/\Phi^{4}$	=6.85410196...+0.14589803...
5	$11=\Phi^{5}-1/\Phi^{5}$	=11.09016994...-0.09016994...
6	$18=\Phi^{6}+1/\Phi^{6}$	=17.94427191...+0.05572808...
7	$29=\Phi^{7}-1/\Phi^{7}$	=29.03444185...-0.03444185...
8	$47=\Phi^{8}+1/\Phi^{8}$	=46.97871376...+0.02128623...
9	$76=\Phi^{9}-1/\Phi^{9}$	=76.01315561...-0.01315561...
10	$123=\Phi^{10}+1/\Phi^{10}$	=122.9918693...+0.0081306...
11	$199=\Phi^{11}-1/\Phi^{11}$	=199.00502499...-0.00502499...

7
=
G^{4} + L^{4}
6 0
. .
8 1
5 4
4 5
1 8
0 9
1 8
9 0

リュカ数列：偶数項は黄金比Φとその逆数1/Φの累乗を足すことによって生じ、奇数項はそれらを引くことによって生じる。奇数項では、マイナス記号をはさんだ二つの数の小数部分が完全に同じことに注意してほしい。

7という数は、Φの4乗と1/Φの4乗がファスナーのようにぴったり合わさることによって生じる。小数点以下の対応する桁数の数の和が9になることに注意してほしい。[6.9999…. = 7である。なお、このページのGは大きい方の黄金比Φ、Lは小さい方の黄金比φのこと]

フィボナッチ数

2	$1=\dfrac{\Phi^{2}+0}{\Phi^{2}}=\Phi^{0}+0/\Phi^{2}=G^{0}$	=1
3	$2=\dfrac{\Phi^{3}+1}{\Phi^{2}}=\Phi^{1}+1/\Phi^{2}=G^{1}+L^{2}$	=1.61803398...+0.38196601...
4	$3=\dfrac{\Phi^{4}+1}{\Phi^{2}}=\Phi^{2}+1/\Phi^{2}=G^{2}+L^{2}$	=2.61803398...+0.38196601...
5	$5=\dfrac{\Phi^{5}+2}{\Phi^{2}}=\Phi^{3}+2/\Phi^{2}=G^{3}+2L^{2}$	=4.23606797...+0.76393202...
6	$8=\dfrac{\Phi^{6}+3}{\Phi^{2}}=\Phi^{4}+3/\Phi^{2}=G^{4}+3L^{2}$	=6.85410196...+1.14589803...
7	$13=\dfrac{\Phi^{7}+5}{\Phi^{2}}=\Phi^{5}+5/\Phi^{2}=G^{5}+5L^{2}$	=11.09016994...+1.90983005...
8	$21=\dfrac{\Phi^{8}+8}{\Phi^{2}}=\Phi^{6}+8/\Phi^{2}=G^{6}+8L^{2}$	=17.94427191...+3.05572808....

リュカ数と同様に、フィボナッチ数も黄金比の累乗を使ってあらわすことができる。これらの式で、$1/\Phi^{2}$の係数にフィボナッチ数があらわれることに注意してほしい。これらのフィボナッチ数もまた同じやり方で、黄金比とその逆数の累乗の和に分解することができる。

生きとし生けるもの

生命の聖なるシンフォニー

自然は、美しくも驚くべき形の配列を見せてくれる。草花や樹木、昆虫、魚類、イヌ、ネコ、ウマ、クジャク等々、すべての生き物にはシンメトリー（対称）とアシメトリー（非対称）のあいだで交わされる、詩的な相互作用が見出される。黄金比はしばしば、黄金長方形（次頁のコガネムシや魚を参照。ドッチ画）と、それを区切ってできる正方形および小さな黄金長方形を通してあらわれる。これによって、元の全体と、自己相似な部分との比がどこまでも保たれ、そこに我々が神聖比例式［あるいは黄金比例式］と呼ぶ比のシンメトリー、Φ：1：1／Φが映し出されるのである。シュバレ・ド・リュビッツは著書『人間の神殿』でこう述べている。

「すべての動き、すべての形はΦの衝動からもたらされる」

自然界には五角形があふれているが、それは正五角形と五芒星形における黄金比のシンフォニーに由来しているにちがいない。（下図と次頁中段。コールマン画）ヒトデをはじめとして、多くの海生生物は五角形をしている。ときには、トケイソウのように十角形のものもあるが、それは五角形が重なって形づくられている。

生命の構成要素であるアンモニア（NH_3）、メタン（CH_4）、水（H_2O）でさえ、結合角度はすべて、五角形の内角108°を近似している。

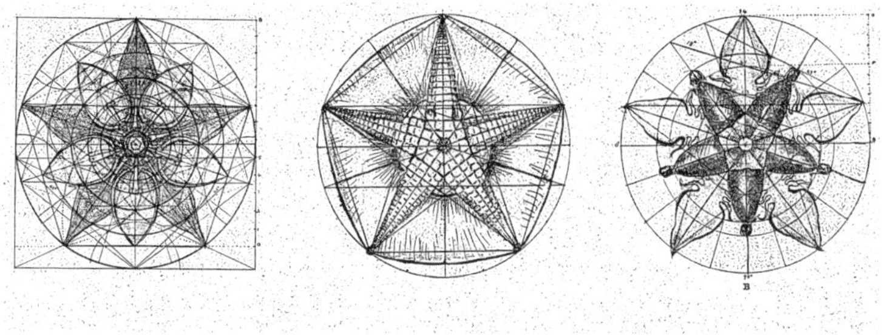

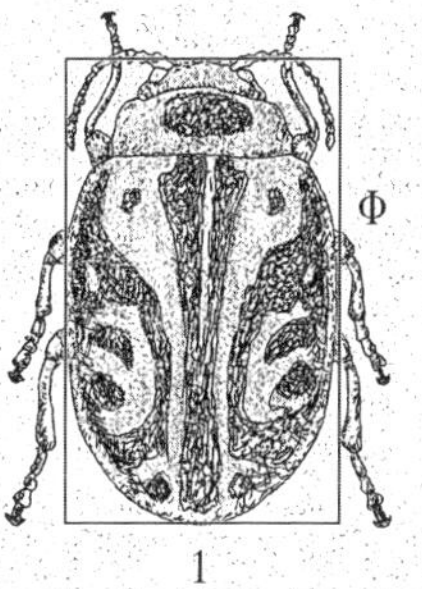
Φ
1

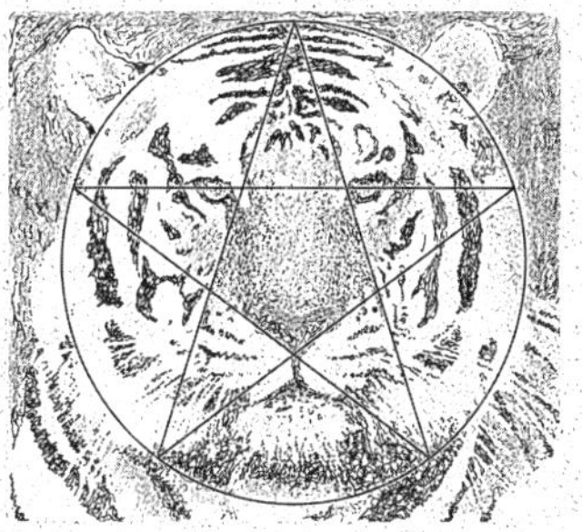

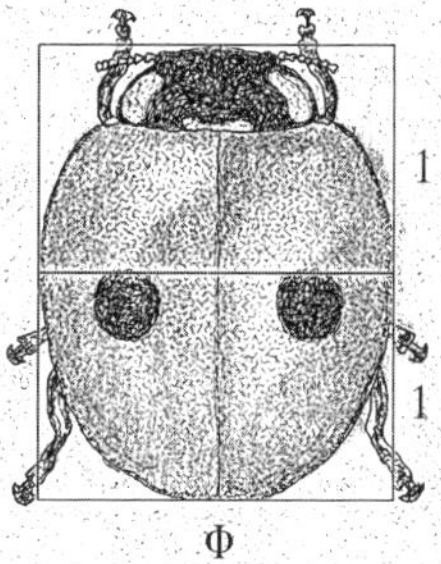
1
1
Φ

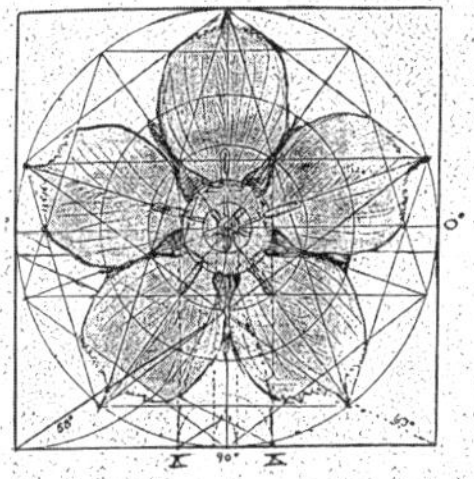

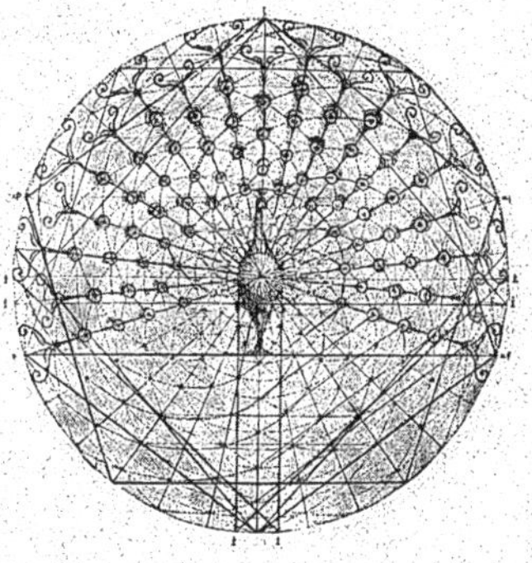

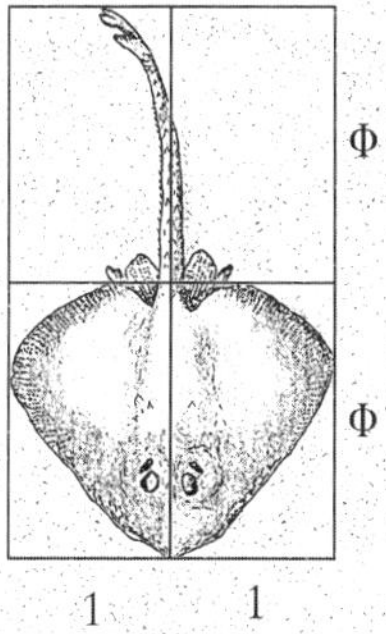
Φ
Φ
1
1

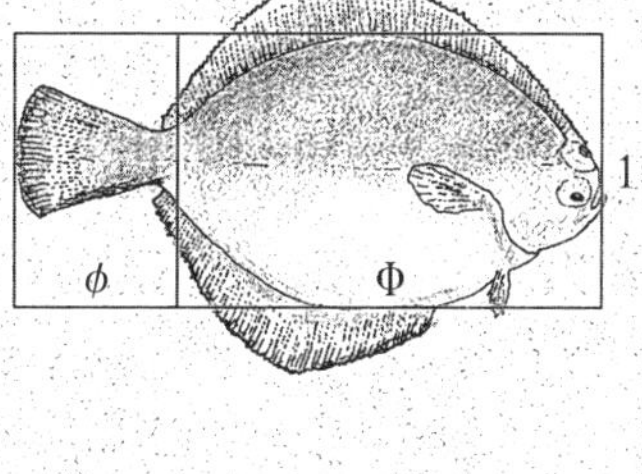
1
ϕ
Φ

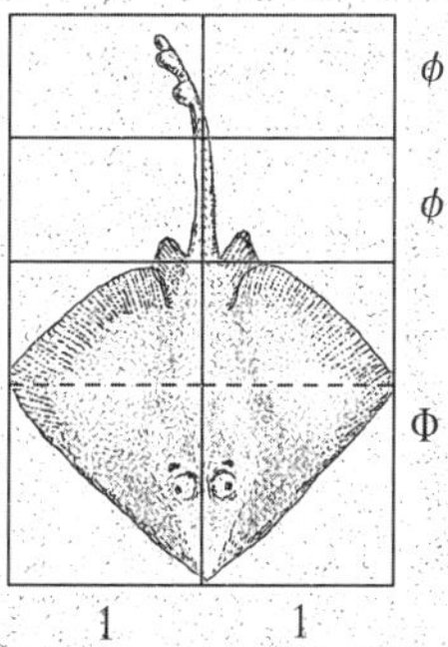
ϕ
ϕ
Φ
1
1

人体における黄金比

神の似姿

私の授業では20年以上にわたり、身長とへその位置[足元からへそまでの高さ]の関係を求めるための測定をおこなっている。その目的は、古代ギリシアの彫刻家ポリュクリタスの『規範』に書いてあるといわれるように、人体が本当にへその位置で黄金比に分割されているかどうかを調べることにあった。長年測定をおこなっても、完璧な黄金比を示す者は数名しかいなかったが、計算してみると、大部分の値がフィボナッチ数の比であらわされる黄金比の近似値にきわめて近いことがわかった。とくに多かったのは5/3(=1.67)だが、なかには8/5(=1.60)もあった。

黄金比は人体のいたるところにあらわれる。たとえば、各手指の3本の骨の長さが黄金比の関係にあり、手首は手の先から肘までを黄金比で分割している。フィボナッチ数は歯の数にあらわれ、口内を[上右、上左、下右、下左の]四つに分けると、各部分において一生の間に生える歯は合計13本、そのうち乳歯は5本、永久歯は8本である。子供から大人への旅には、他にもまだ驚くべき事実が含まれている。赤ん坊のへそ(その子の過去をあらわす)は身体の中点にあり、生殖器は黄金比の位置にあるが、成長をとげるとこれが逆転し、大人では、身体の中点が生殖器(未来)の位置にあり、へそが黄金分割を近似しているのだ(次頁の左下)。

ダ・ヴィンチによる頭部の素描画(次頁の右上)を見ると、顔の枠組みも、目と鼻と口の位置も、すべて黄金長方形によって定められていることがわかる。

下図は、デューラーによる、黄金比には程遠い頭部のスケッチ画である。

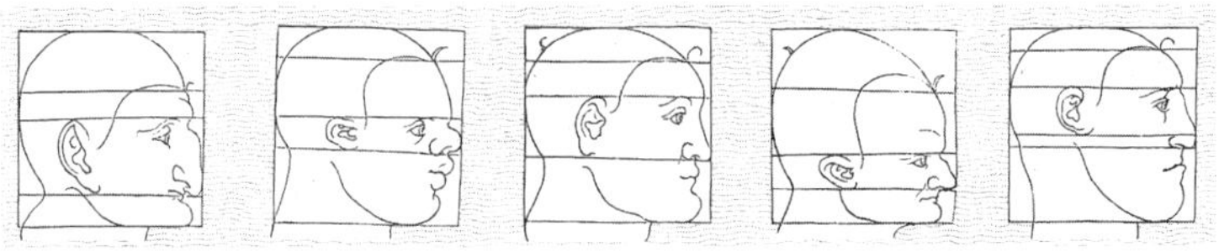

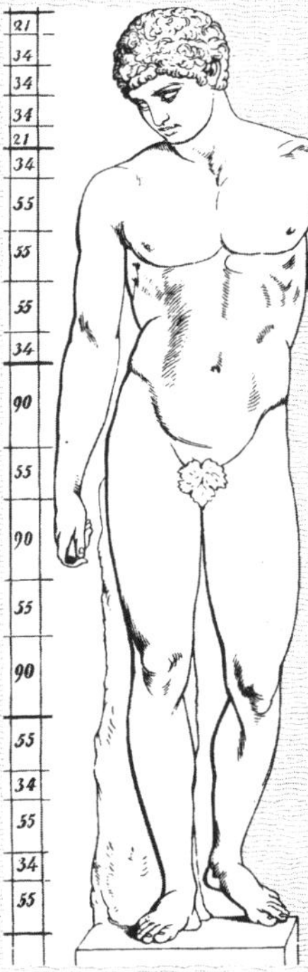
21
34
34
34
21
34
55
55
55
34
90
55
90
55
90
55
34
55
34
55

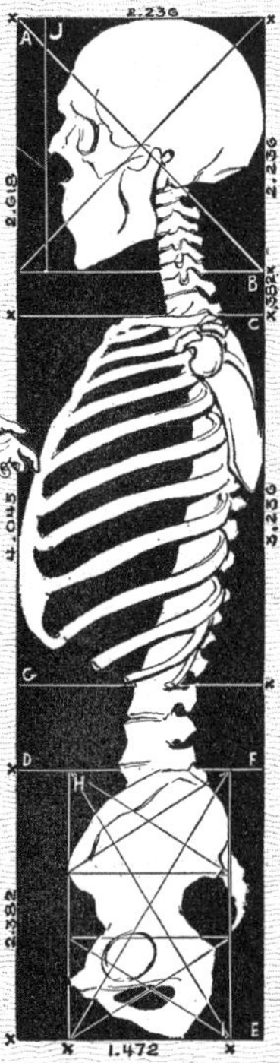
2.236
A
J
2.618
2.236
B
C
4.045
3.236
G
D
F
H
2.382
E
1.472

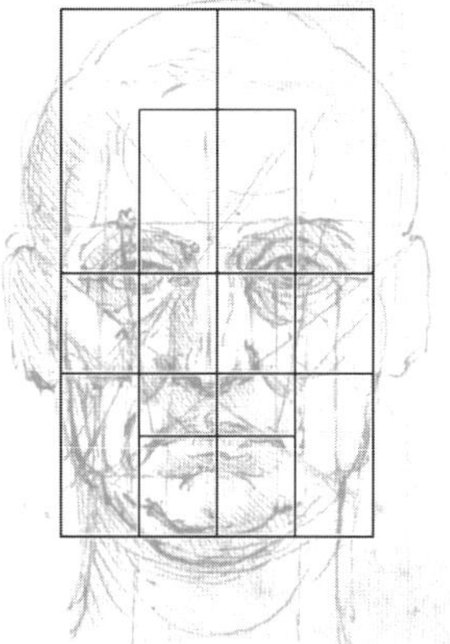

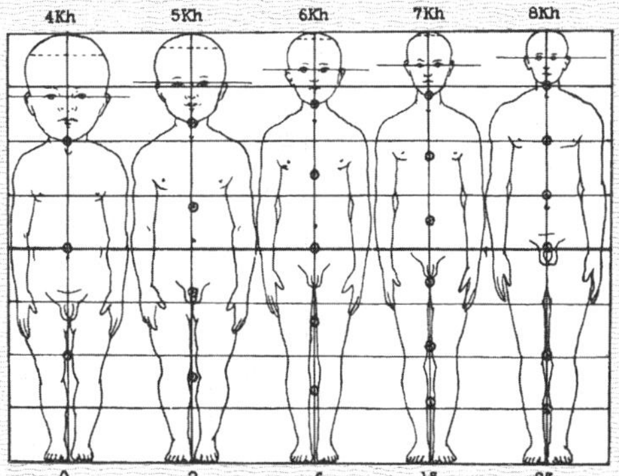
4Kh
5Kh
6Kh
7Kh
8Kh
0
2
6
15
25

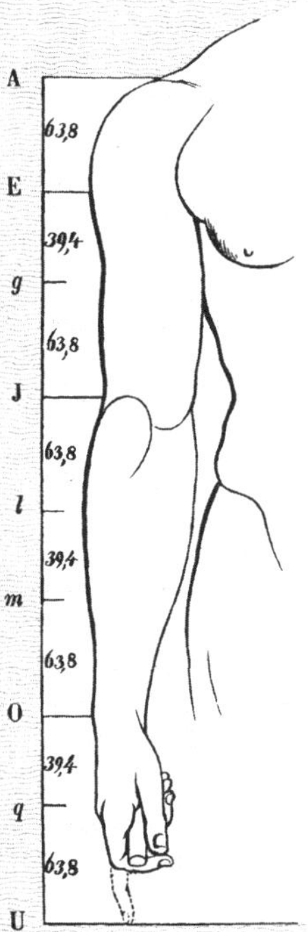
A
63,8
E
39,4
g
63,8
J
63,8
l
39,4
m
63,8
O
39,4
q
63,8
U

増大と縮小

鏡を通り抜けて

自然は、増と減のリズムと周期で脈打っている。プラトンにソクラテス以前の影響を与えたヘラクレイトスは、次のように述べている。「上方へ向かうも、下方へ向かうも、一つのことであり、同じことである」。たとえば月の満ち欠け、年の循環、昼と夜のくり返し、潮の満ち引き、心臓の収縮と弛緩、肺の膨張と収縮といった現象を考えてみよう。星が爆発的に成長したあとは内破が起こることが多く、秩序ある生命体組織の負のエントロピーは、無秩序や死の正のエントロピーによってバランスが保たれている。

カオス理論によれば、秩序が入っていく場所であるとともに無秩序から出てくる場所でもあるカオス境界は、黄金比に支配されているという。自然は単純さと節約のために、加法的かつ乗法的かつ減法的かつ除法的であるような増大と縮小のプロセスを求めているように見える。この要求を「完全に」満たすものは黄金比の累乗だけであり、現実世界ではそれがフィボナッチ数やリュカ数によって近似されるのだ。

次頁の上の表では、加法と乗法によって上方へと増大する列ができ、除法と減法によって下方へと縮小する列ができていることに注意してほしい。このとき、不足を増大へと押し上げ、過剰を縮小へと押し下げる作用の支点となっているのは、黄金比例式Φ:1:1/Φにおける幾何平均である単位元、つまり「一なるもの」である。

カシの木の成長を思い浮かべてほしい。それはドングリからできるだけはやいスピードで上方に伸びていき、やがてスピードをゆるめて成熟し、その枝葉を極限までフラクタル化[自己相似化]して、ついにアリストテレスがエンテレケイア(完成態)と呼んだ新しい相対的な統一体(単位元)、つまりそれが目指していた形となる。『不思議の国のアリス』で、“お飲みなさい”“お食べなさい”という指示にしたがって、身長が急激に伸びたり縮んだりしたアリスのように、自然は相対的な極限に向かって、増大しつつ縮小するのである。

	大きい方 (Gn)	幾何平均 (Mn：GnとLの幾何平均)	小さい方 (Ln)
7	Φ^7	Φ^6	Φ^5
6	Φ^6	Φ^5	Φ^4
5	Φ^5	Φ^4	Φ^3
4	Φ^4	Φ^3	Φ^2
3	Φ^3	Φ^2	Φ
2	Φ^2	Φ	1
1	Φ	1	$1/\Phi$
0	1	$1/\Phi$	$1/\Phi^2$
-1	$1/\Phi$	$1/\Phi^2$	$1/\Phi^3$
-2	$1/\Phi^2$	$1/\Phi^3$	$1/\Phi^4$
-3	$1/\Phi^3$	$1/\Phi^4$	$1/\Phi^5$
-4	$1/\Phi^4$	$1/\Phi^5$	$1/\Phi^6$
-5	$1/\Phi^5$	$1/\Phi^6$	$1/\Phi^7$
-6	$1/\Phi^6$	$1/\Phi^7$	$1/\Phi^8$
-7	$1/\Phi^7$	$1/\Phi^8$	$1/\Phi^9$

↑増大—上方へと向かう

縮小—下方へと向かう↓

理想としての黄金数列

左に示された黄金数列[Φの累乗の列]は、加法的であると同時に乗法的であるという、黄金比の独特の性質を示している。

乗法：$G_{n+1} = G_n \times \Phi$

加法：$G_{n+1} = G_n + G_{n-1}$

除法：$G_{n-1} = G_n / \Phi$

減法：$G_{n-1} = G_n - G_{n-2}$

これらの等式は、小さい方や幾何平均でも成り立つ。Gn、Mn、Lnの間にはつぎの関係がある。

$G_n \times L_n = (M_n)^2$　$G_n = M_n + L_n$

Gn、Mn、Lnの各列において、それぞれの項は先行する二つの項の合計に等しく、また、前の項にΦを掛けた値にも等しい。

したがって、たとえば、$\Phi^4 = \Phi^2 + \Phi^3 = \Phi^3 \times \Phi$

ほかの数では、このような加法と乗法の融合は起こらない。

大きい方 (G)	近似的幾何平均 (M)	小さい方 (L)
144	89	55
89	55	34
55	34	21
34	21	13
21	13	8
13	8	5
8	5	3
5	3	2
3	2	1
2	1	1
1	1	0

フィボナッチ数列

大きい方 (G)	近似的幾何平均 (M)	小さい方 (L)
322	199	123
199	123	76
123	76	47
76	47	29
47	29	18
29	18	11
18	11	7
11	7	4
7	4	3
4	3	1
3	1	2

リュカ数列

近似としてのフィボナッチ数列とリュカ数列

左側の表のMは、GとLの幾何平均をフィボナッチ数で近似したものである。その値は、GとLの積に1または−1を交互に加え、根号√をかぶせることによって得られる[本当の幾何平均はGとLの積に√をかぶせる]。たとえば3は5と2の近似的幾何平均であり、$\sqrt{5\times2-1}=\sqrt{9}=3$と計算できる。また5は8と3の近似的幾何平均であり、$\sqrt{8\times3+1}=5$と計算できる。

右側の表のMは、GとLの幾何平均をリュカ数で近似したものである。その値は、GとLの積に5または−5を交互に加え、根号√をかぶせることによって得られる。たとえば4は7と3の近似的幾何平均であり、$\sqrt{7\times3-5}=\sqrt{16}=4$と計算できる。また7は11と4の近似的幾何平均であり、$\sqrt{11\times4+5}=\sqrt{49}=7$と計算できる。

指数関数と螺旋

すばらしき曲線の一族

自然界では、シンプルな増大をとおしてグノーモン的な成長が起こる[グノーモンとは、もとの図形に付加されたときに生じた図形が、もとの図形と相似形になるような図形]。シンプルな増大によって、巻貝に見られるような美しい対数螺旋的成長が生じるのだ。巻貝は、成長するにつれて貝殻の開口部にあたらしい物質を絶え間なく付け加えてゆく。ここで重要なのは、そのとき巻貝は体長や体幅を増しながらも、その比率を変えることなく成長していくということだ。水晶の結晶にも見られる、このような増大のプロセスは、もっともシンプルな成長の法則である。

フィボナッチ数列からつくられる黄金螺旋(カバー図)や、五芒星形の腕の二等辺三角形から生まれる黄金螺旋(下図)は、対数螺旋の一族に属している。対数螺旋は成長螺旋、等角螺旋、ときには「驚異の螺旋(spira mirabilis)」とも呼ばれる。ある螺旋が対数螺旋のとき、何回転目で螺旋を切ってもすべて相似な曲線となり、螺旋の中心から任意の方向に直線を引くと、その直線と螺旋のなす角はすべて等しい[等角螺旋の名はこれに由来する]。対数螺旋を中心に向かってどんなにズームインしていっても、見える螺旋の形は変わらないのだ。この性質は、とぐろを巻いたヘビやホースのように等間隔の渦巻きであるアルキメデスの螺旋とは対照的である。

自然はじつにさまざまな対数螺旋を用いて、木の葉や貝殻の形、植物の種の配列やサボテンの葉序、渦や銀河をつくりだしている。その多くは円の等分割からつくられた黄金螺旋の一族で近似できる。(次頁を参照。コーツとコールマン画)

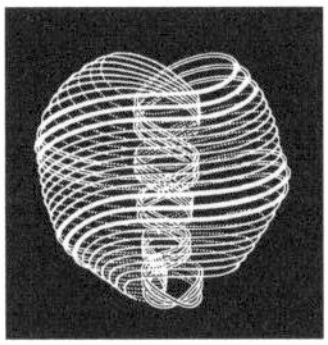

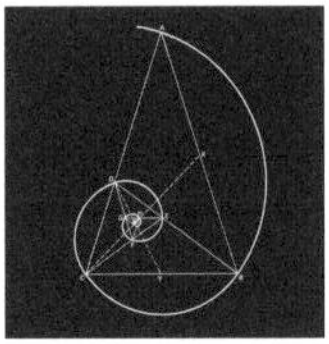

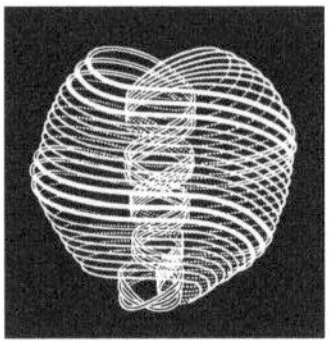

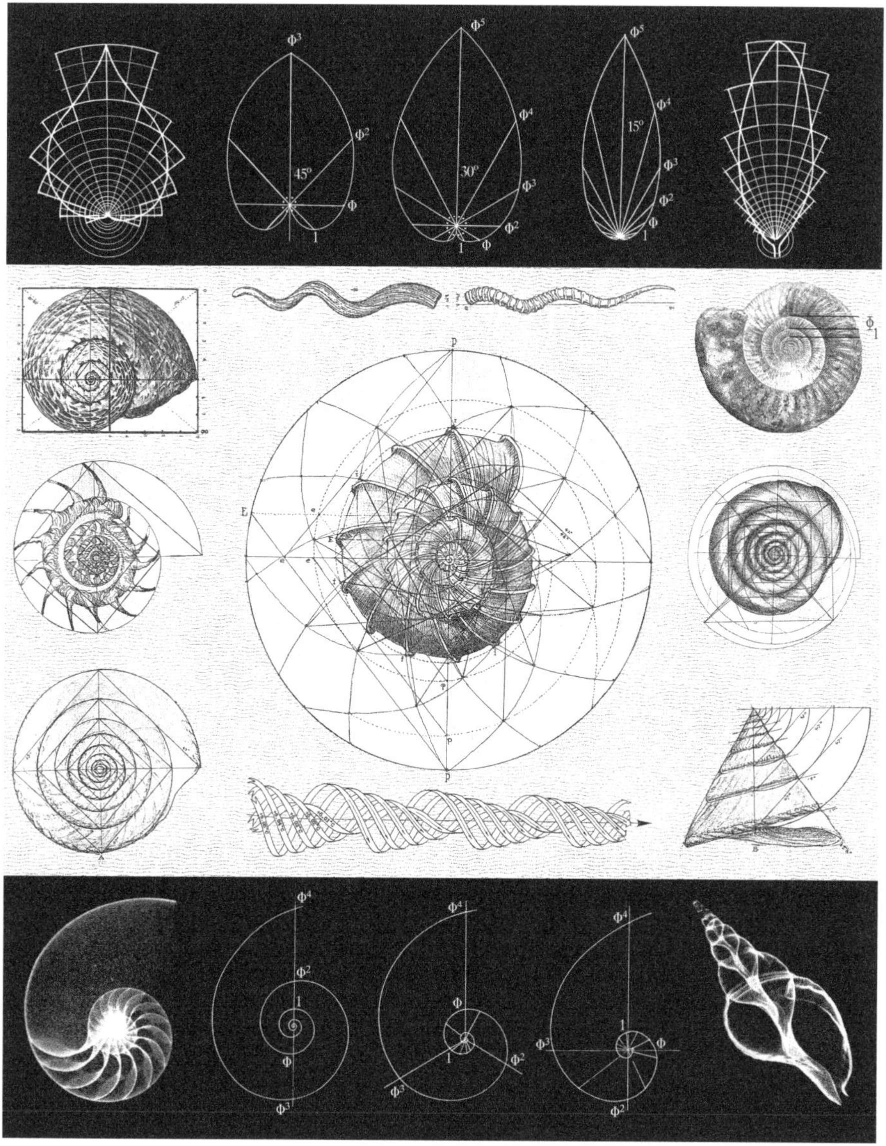

Φ3
Φ2
45°
Φ
1
Φ5
Φ4
30°
Φ3
Φ2
1
Φ
Φ5
Φ4
15°
Φ3
Φ2
Φ
1
Φ
1
P
E
P
P
Φ4
Φ2
1
Φ
Φ3
Φ4
Φ
1
Φ2
Φ3
Φ4
1
Φ3
Φ
Φ2

黄金のシンメトリー

アシメトリーから生じる比例式

自然は我々にホログラフィックな、つまり小さな部分が全体(宇宙)そのものを映し出しているような、すばらしいポートレートを見せてくれている。物理学者のデヴィッド・ボームは、構造的な自己相似性が、彼のいう隠れた「暗在系」と顕れた「明在系」を関連づけている、あるいは結びつけていることに気づき、つぎのように述べている。

「量子の相互関連性の本質的な特性は、宇宙全体が個に包括され、個は全体に包括されているということである」

これまで見てきたように、全体と部分のこの結合は、比のシンメトリー、Φ:1＝1:1/Φを通して美しく成し遂げられ、とくに黄金分割によってもっとも効率よく実現されている。このシンプルな分割は、それ自身が自然そのものを駆り立てる衝動であるかのように、自己相似性を使ってすべての部分に自然をフラクタル化し、螺旋をえがく黄金角やさまざまなフィボナッチ数を通して、成長のプロセスを推し進めていく。

この成長のリズミカルなスウィングに起動力をあたえるのは、アシンメトリックな一撃である。振子に最初の一押しをあたえるのは、生命、形、そして意識として具現する、黄金比Φの力学的エネルギーなのだ。

このテーマを探求しているのがジョン・ミッチェルの絵画《パターン》(次頁)である。明瞭なシンメトリーに関して、ミッチェルはつぎのように記している。「ソクラテスはそれを『天上のパターン』と呼んでいました。誰もがそれを見つけることができ、いったん見つければそれを自分自身のうちに定着させることができるのです」

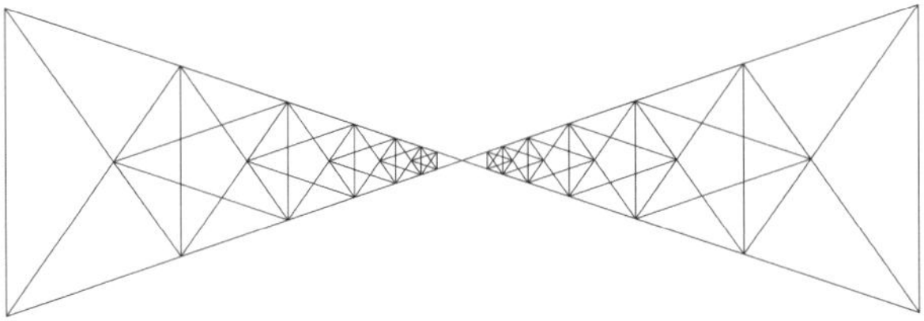

見る見るうちにパターンは崩れはじめ、まもなく、生涯をかけた作品がバラバラに崩壊してしまった。

As we watched, the pattern started to fall apart, and soon a lifetime's work had become a total ruin.

Someone must have hit the right note, because everything suddenly began falling into place.

だれかが会心の一撃を加えたにちがいない。突然、すべてが正しい場所に収まりはじめた。

文化のなかの黄金比

共感呪術〈上の如く、下も然り〉

さまざまな文化、その芸術、建築、宗教、神話、哲学を注意深く比較研究してみると、葉序のパターンと同じように、多種多様な様式や型の根底には驚くほどシンプルな宇宙原理が存在することがわかってくる。プラトンは、美学が目指しているのは単なる自然の模倣ではない、と主張した。自然を深く見つめてそのタペストリーの本質を見抜き、すばらしくシンプルでありながら神聖なその秩序にはたらいている神聖比と神聖比例式を理解し用いること、これこそ美学が到達すべき地点だというのである。

これに関して、プロティノス(205〜270)はつぎのように記している。

「古代の賢人たちは、『全』の本質に目を向けつつ、神々が宿ることを願って神殿や聖像をつくった。魂の本質とは魅了されやすいものであるが、神に共鳴するものをつくり、その一部を受け取ることが出来れば、すべてのものは容易に魂を受け取ることができるだろう、と彼らは考えたのだ。神に共鳴するものとは、いってみれば、形象の反射光をとらえることのできる鏡のように、神を模倣するもののことである」

15世紀初期、北京の紫禁城の設計者たちは、三つの隣り合った黄金長方形を用いて城全体の枠組みを定めた(三つのうち二つの黄金長方形は堀を取り囲んでいる。右頁の図で、それらがどこにあるか見つけてほしい)。それから彼らはラバトメント[長方形の端から正方形を分割してゆく構図法]を使って、さまざまな構成要素の立地と比率を定めた。ラバトメントでは、黄金長方形から正方形を分離することで小さな黄金長方形が作られ、さらなる基準線が作り出される。(3頁の〈シャマシュの石板〉参照)

つぎからの六つの章では、人間が自らの環境のなかに、自然界の聖なる形をどのように顕示、あるいは造形しようとしてきたか、さらに詳しく見ていくことにしよう。

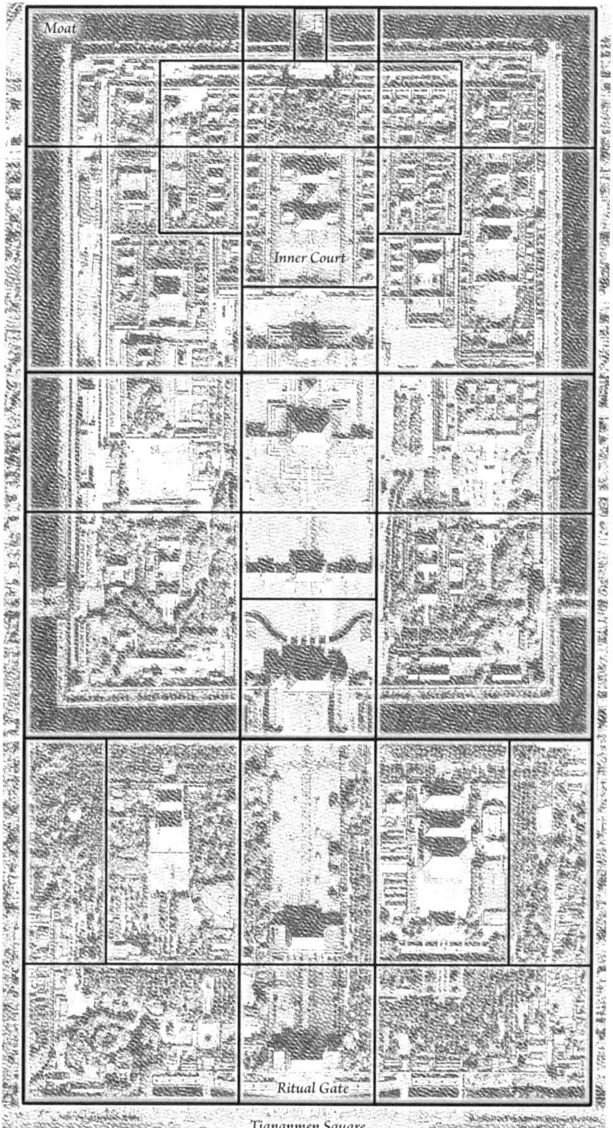
Moat
Inner Court
Ritual Gate
Tiananmen Square

古代の遺跡

墓、神殿、ピラミッド

多くの高度な古代文明と同じく、古代エジプトにおいても人々は、荘厳な巨大ピラミッドや神殿、芸術作品をつくる際、どのような数や測定単位や調和比例を用いるべきかの精緻な基準をもっていた。彼らが使っていたシンプルな比や分割線には、$\sqrt{2}$（正方形の一辺と対角線の比）、$\sqrt{3}$（正三角形の底辺の二等分線と高さの比）、$\sqrt{5}$ を基にした黄金分割（これは「フィボナッチ長方形」の辺の比としても、五芒星形内の純粋な形でもあらわれる）が含まれている。ハコリス王の礼拝堂や、デンデラ神殿の十二宮図を分析してみると、隣りあうフィボナッチ数（前者は8と5、後者は5と3）によって黄金比が近似されていることがわかる（次頁左側上と下の図）。モーセの十戒を納める箱は、二辺の比が5：3（2.5×1.5キュビット）となるようにつくられていた。このほか、オシリス神殿（古代エジプト第19王朝のセティ1世の建造物）の平面図や、メンカウラー王（ギザの三つのピラミッドのうち一番小さなピラミッドを建設したファラオ）の見事な胸像を分析したところ、五芒星形や正五角形がはっきりとあらわれたことにも注目してほしい（次頁右側）。有名なツタンカーメン王のマスクもそのような分析に最適である。

黄金比と、フィボナッチ数によるそれらの近似は、オルメカ文化の彫刻や、マヤ遺跡の神殿や、パレンケ遺跡の石棺の浮き彫りにも見出される。5：3の比率をもつ曼荼羅状の図版（下図の中央）は、メソアメリカの彫刻や建造物、古写本に多く見られる。（下図左：イザパの石碑89、下図右：オルメカのモニュメント52。ノーマンによる）

今度、博物館に行ったら、何を発見できるか調べてみよう。

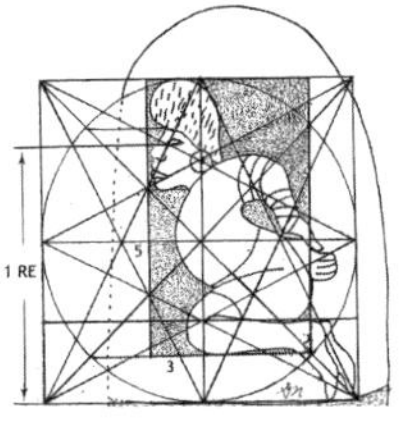

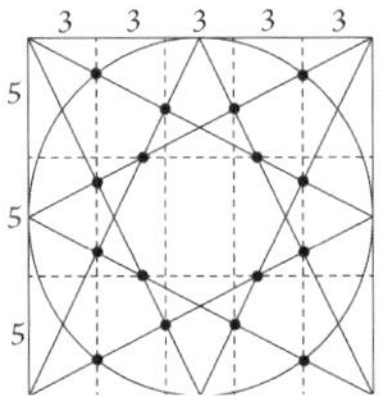

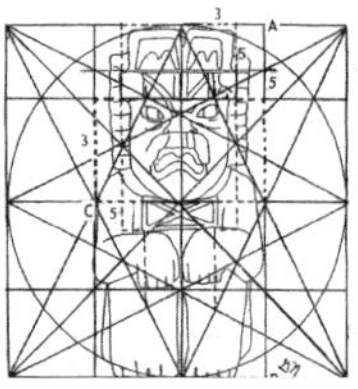

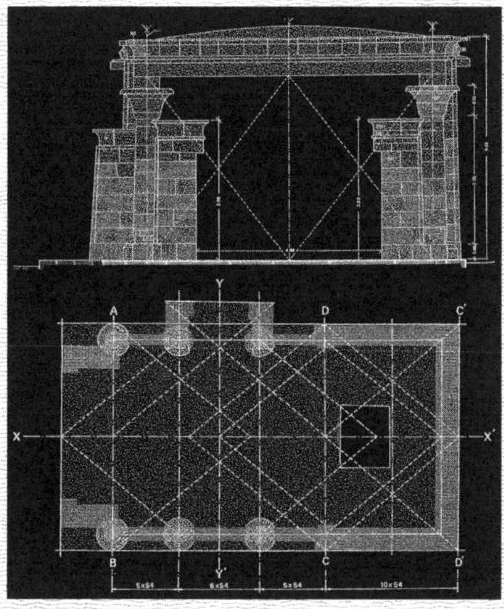

ハコリス王の礼拝堂にみられる8:5の比率を持つ三角形
(カルナック、ローフレ画)

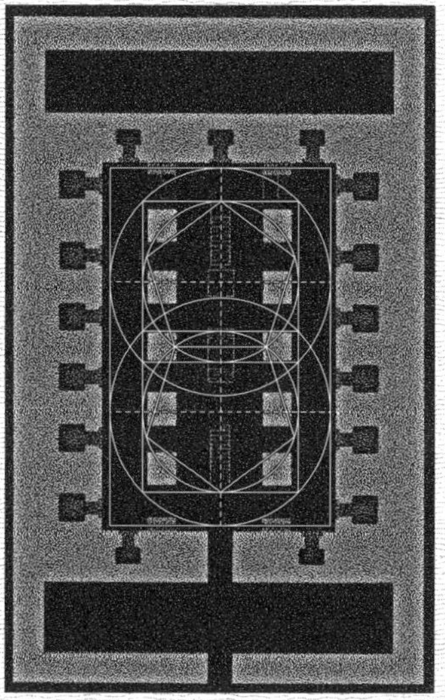

ロウラーの分析によって、正五角形が見出された
オシリス神殿の平面図

5:3の比率が隠れていたデンデラ神殿の十二宮図

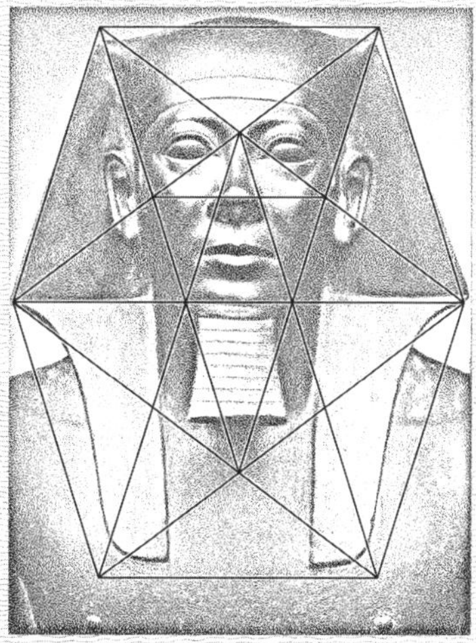

五芒星形と正五角形が配された、メンカウラー
王の胸像

わたしの心は満杯だ

半分しかない？ それとも、半分もある？

アメリカの芸術家ジェイ・ハンビッジ（1867〜1924）は、古代エジプトや古代ギリシアの芸術、植物や貝殻や人間の建築構造と彼が呼ぶもの、そして五つの正多面体を注意深く研究し、ダイナミック・シンメトリーの理論を発展させた。そこには、さまざまな形が自己相似的に増えていくという例の原理が、自然の生きた「形のリズム」をとおして示されている。ハンビッジは、正方形では（つまり面積では）通約可能なのにそれ自身は通約不可能であるような線分のうちにダイナミズムを見出すべきだ、と主張した。そこで$\sqrt{2}$、$\sqrt{3}$、$\sqrt{5}$といった比が彼の仕事の中心となった。黄金長方形をつぎつぎに縮小していくときに螺旋を描きながらできてゆく正方形の列は、それらとは別の特別な位置を占めていた。

下や次頁の図には、ハンビッジが古代ギリシアの様々な陶器に対してどのような幾何学的分析をおこなったかが示されている。彼がそろえた「設計者の長方形」の一式は巻末に載せてある（61頁を参照）。ハンビッジは何でも長方形にしてしまうので、陶工は彼の厳しい基準に合わせるために四苦八苦したはずだと批判されてきたが、だからといってそのために彼の誠意や学問的信用が損なわれるわけではない。

ここで次のような教訓が引き出せるだろう ── このテーマについて学ぶ者は、黄金と名のつくものすべてに過剰な熱狂をおぼえるか、さもなければ完全な懐疑主義と凝り固まった考えに苦しむことになるのだ。

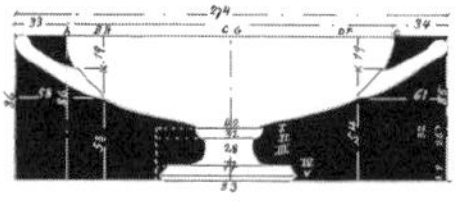
Kylix F 120, Louvre.

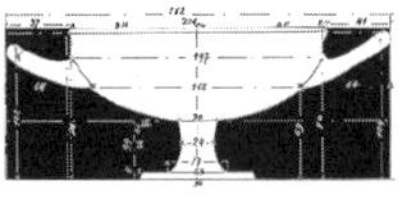
Kylix F 80, Louvre.

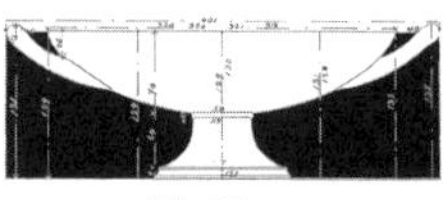
Kylix 126, Louvre.

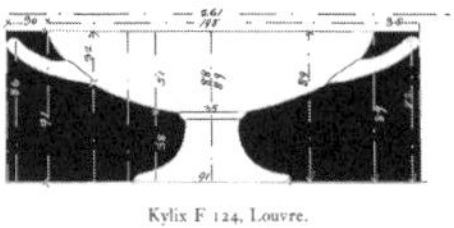
Kylix F 124, Louvre.

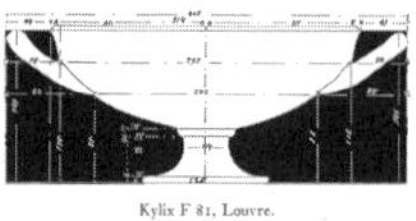
Kylix F 81, Louvre.

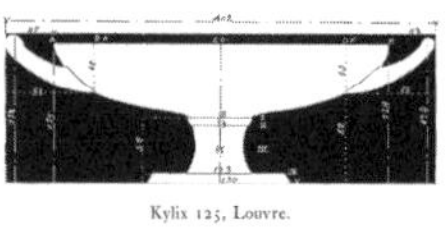
Kylix 125, Louvre.

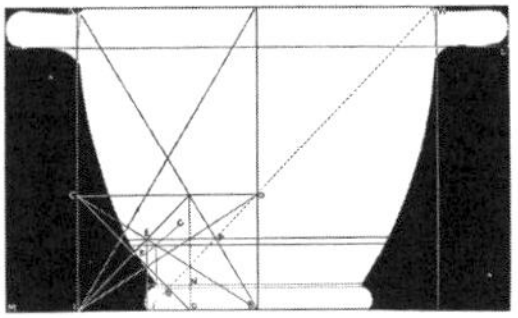

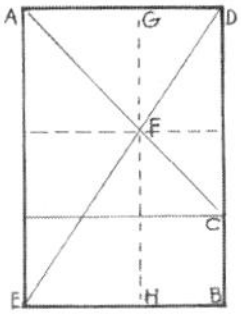

Fig. 2

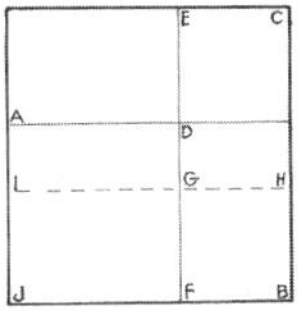

Fig. 1

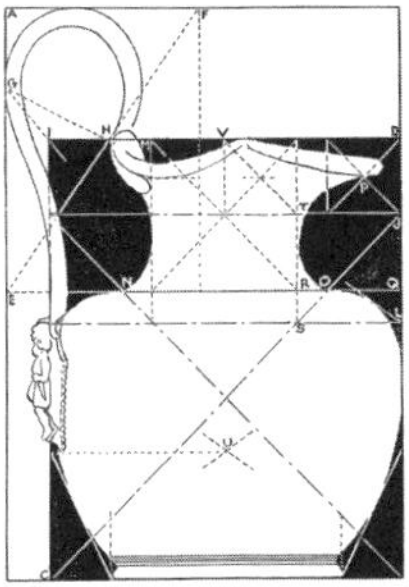

Small Bronze Oinochoe, British Museum, W. T. 656

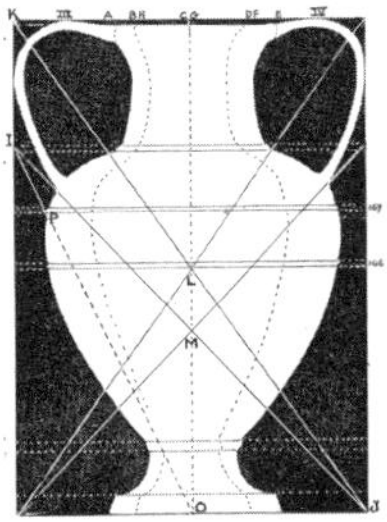

Fig. 1a

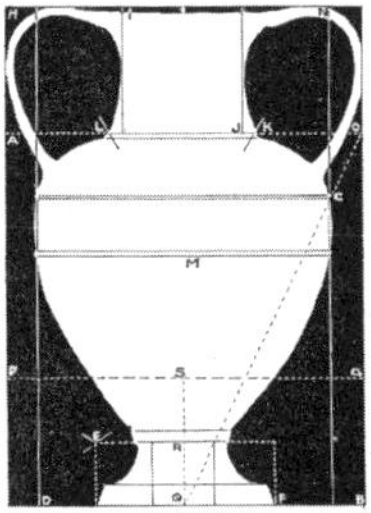

Fig. 1b

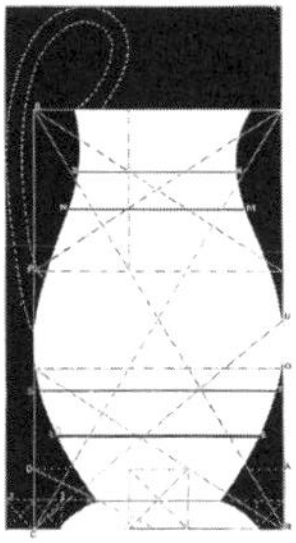

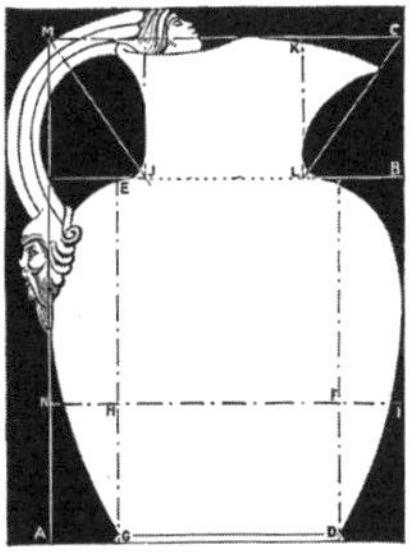

Bronze Oinochoe No. 2474 in the British Museum

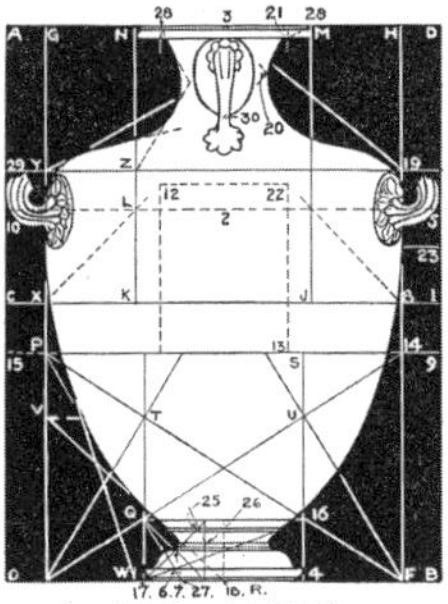

Bronze Hydria No. 312, in the British Museum.

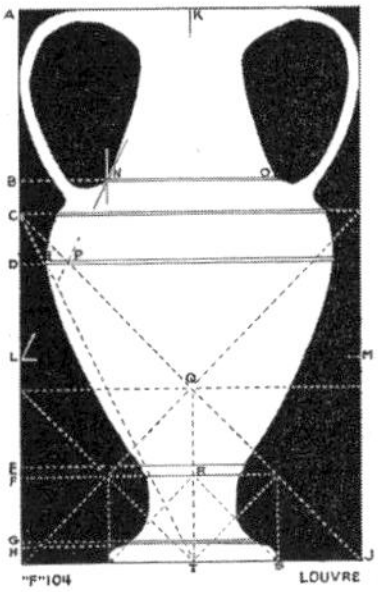

"F"104 LOUVRE

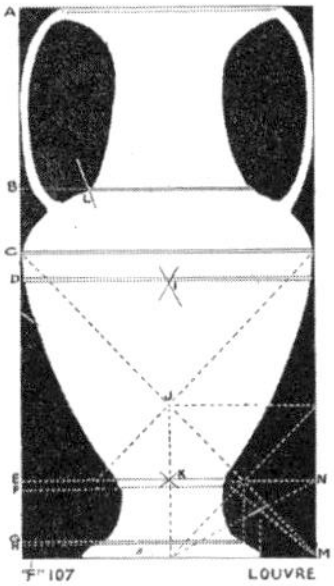

"F"107 LOUVRE

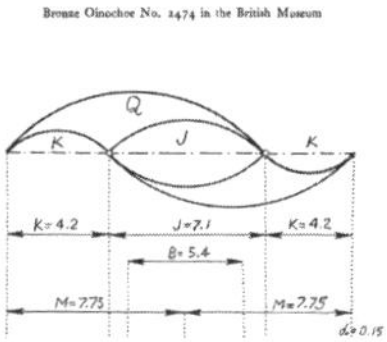

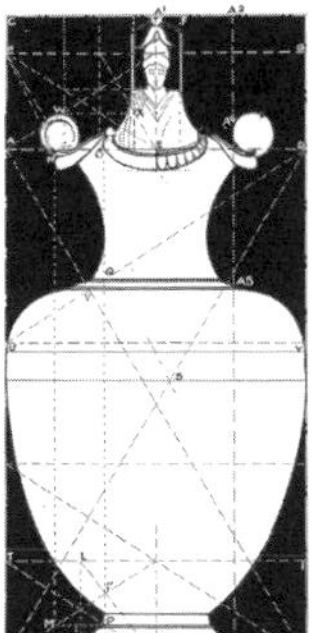

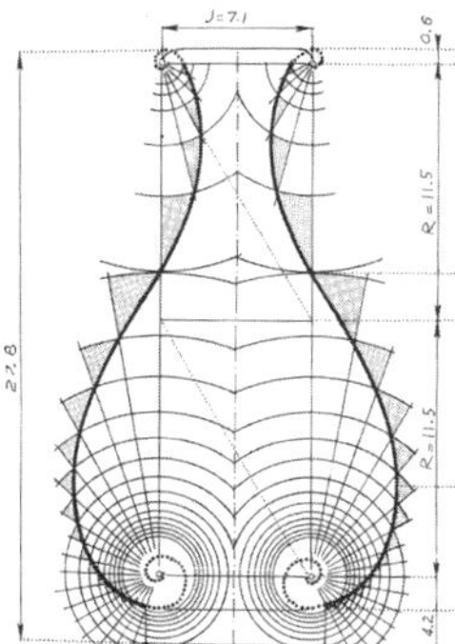

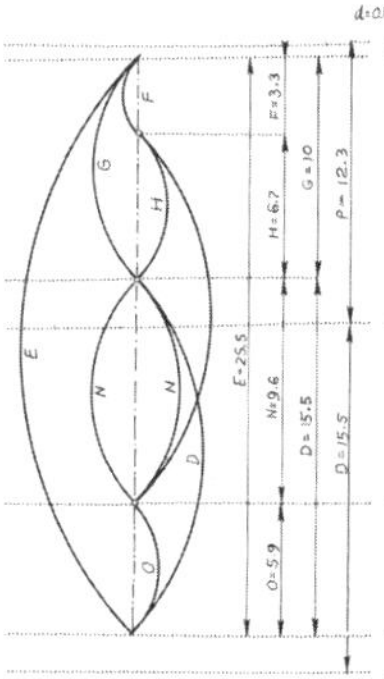

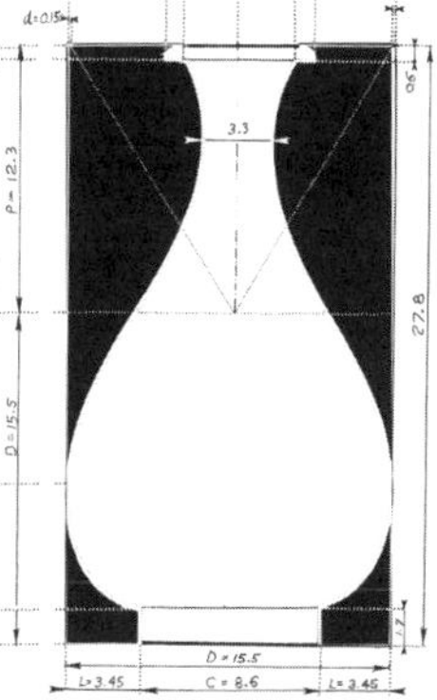

神聖なる伝統

新しい革袋に入れた古いワイン

古代世界に出現したキリスト教は、それまで神と人の仲介者であったアポロンとヘルメスをイエス·キリストに置き換えたように、古代ギリシア·ローマの神聖数と哲学の伝統を新しい宗教のなかに注意深く取り入れた。初期キリスト教会の教えは、キリストが心に内在すること、神の国はこの地球上、自然そのもののなかに見出されることを強調した。アレクサンドリアのクレメンスはキリスト教を「あたらしい歌」として認識し、あたらしい器に注がれた「ロゴス」の聖なるワインであると考えていた。

このロゴス(比、あるいは言葉)について、ヨハネによる福音書の冒頭には次のように書かれている。「太初に言葉あり、言葉は神とともにあり、言葉は神なりき」。このように、神と一つでありながら神と共にある「言葉」に匹敵する比は、黄金比をおいて他にはない。

聖書の言葉の象徴的、寓話的意味を完全に理解するための唯一の道は、神聖数を研究することだ。ゲマトリア[ヘブライ文字に対応する数を合計して、隠された意味を求めること]によると、イエス(ΙΗΣΟΥΣ)の名は合計すると888、キリスト(ΧΡΙΣΤΟΣ)は1480となり、両者を合わせると2368となる。これら三つをならべると[近似的な]黄金比例式 3:5:8となり、キリストが黄金平均に相当する。

黄金比は、ローマ建築やキリスト教建築においても、整数比や、$\sqrt{2}$、$\sqrt{3}$、$\sqrt{5}$といった幾何学的対角線とともに使われた。その例を、下と次頁の図版でいくつか紹介しよう。

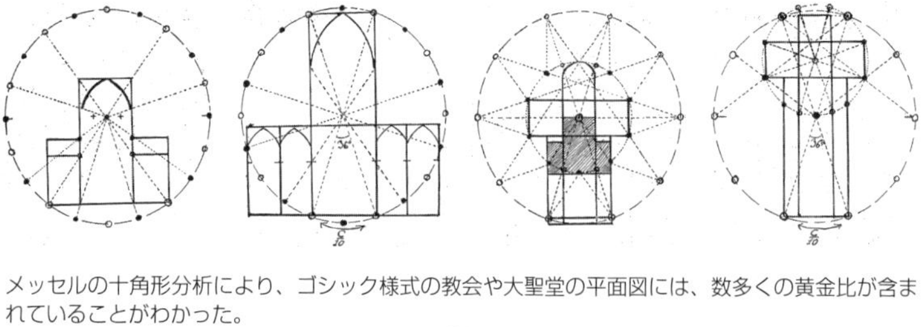

メッセルの十角形分析により、ゴシック様式の教会や大聖堂の平面図には、数多くの黄金比が含まれていることがわかった。

i

vi

ⅰ)シャルトルの大聖堂　南扉の上方に施された浮き彫り。五芒星形と正五角形の構図が隠れている。(シュナイダー画)
ⅱ)コンスタンティヌスのバシリカ聖堂に見られる、正三角形と8:5の二等辺三角形(ヴィオレ·ル·デュク画)
ⅲ)パルテノンを規定する、8:5の三角形(ヴィオレ·ル·デュク画)
ⅳ)パルテノンの平面図は$\sqrt{5}$長方形[辺の比が$\sqrt{5}:1$の長方形]になっており、一つの正方形と二つの黄金長方形で構成されている。
ⅴ)コリント式柱頭に隠された正五角形のシンメトリー(パッラーディオ画)
ⅵ)フィレンツェの大聖堂(ブルネッレスキ設計)には、いたるところに黄金長方形が隠れている。

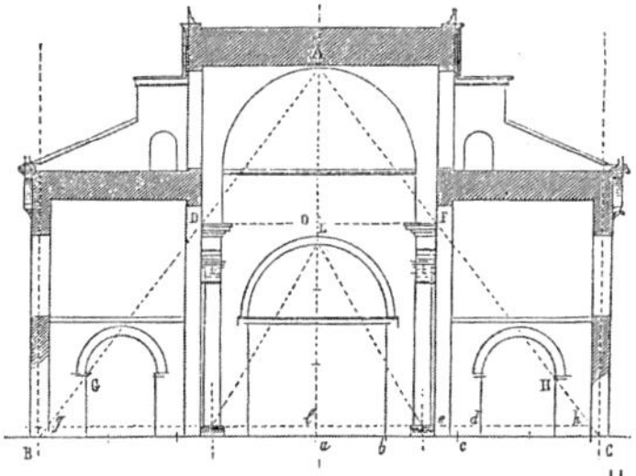

II

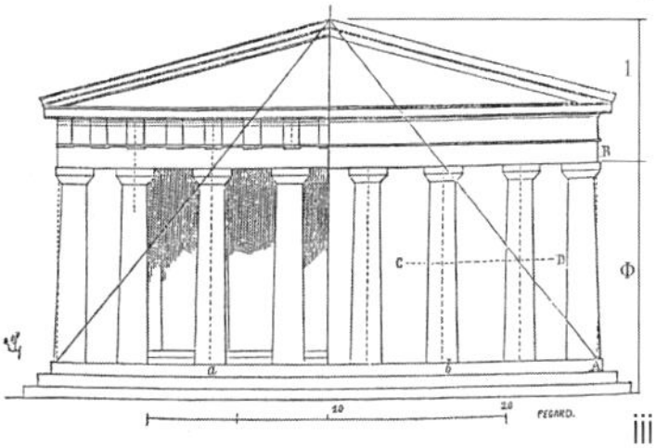

iii

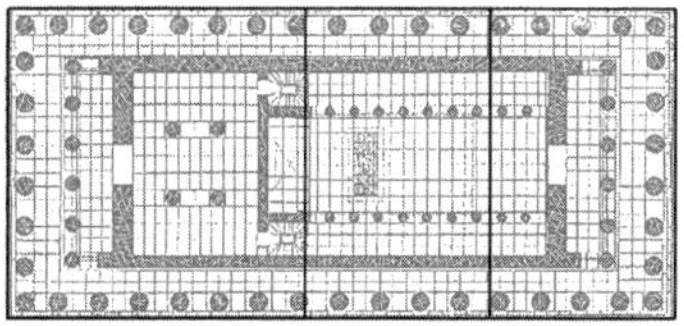

iv

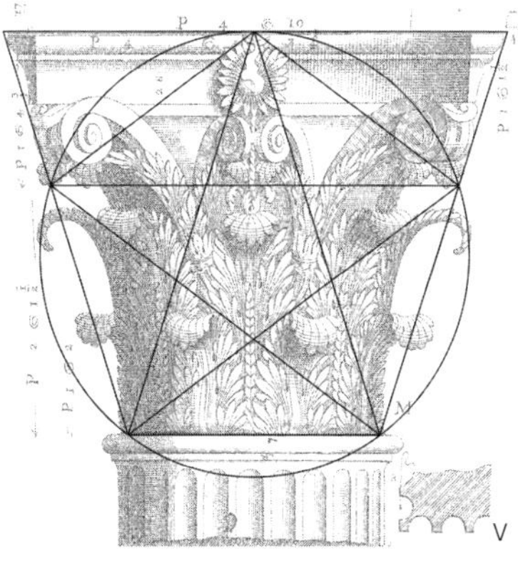

V

絵画の中の黄金比

ダ・ヴィンチのさらなる秘密

画家は、作品のなかで比とプロポーションを注意深く結びつけ、部分を全体に反映・同調させることによって、自然そのものにひっそりと息づく調和とシンメトリーの原理を、生き生きと、しかも美しく力強く表現することができる。

レオナルド・ダ・ヴィンチの絵画「受胎告知」(下)には、パルテノン神殿の平面図(前頁)と同じく、$\sqrt{5}$ 長方形[辺の比が$\sqrt{5}:1$の長方形]が枠組みに用いられている。

この枠はラバトメント(28頁)によって、一つの大きな正方形と二つの黄金長方形に分割され、これらの黄金長方形はそれぞれさらに小さな正方形と小さな黄金長方形に分割される。この仕掛けが「受胎告知」の主要部分を決めている。実際、ここに挙げたすべての例において、地平線や水平線は絵の縦の長さを黄金分割しているのだ。

画家がその絵の枠組みに3:2や5:3の長方形(フィボナッチ数による簡単な黄金比の近似)を用いることもめずらしくない。サルヴァドール・ダリの「最後の晩餐」は、5:3の長方形を枠組にしている良い例である。

我々にはっきりと感じとれる質の高い美は、描かれた人物や風景のアシンメトリーと黄金比のシンメトリーが組み合わさることによって生まれたものなのである。

i

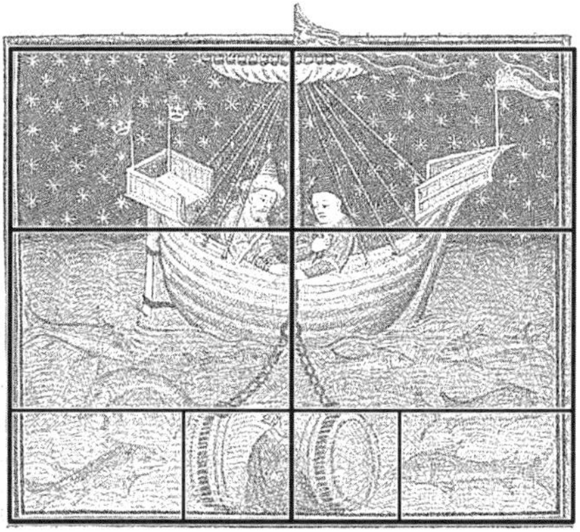

ii

ⅰ）「岩窟の聖母」レオナルド・ダ・ヴィンチ
ⅱ）「樽で海に潜るアレキサンダー大王」アレクサンダー・ロマンスより（シュナイダーより）
ⅲ）「海景」ヴィンセント・ヴァン・ゴッホ
ⅳ）「ビーナスの誕生」サンドロ・ボッティチェリ
ⅴ）「イエスの洗礼」ジャン・コロンブ

v

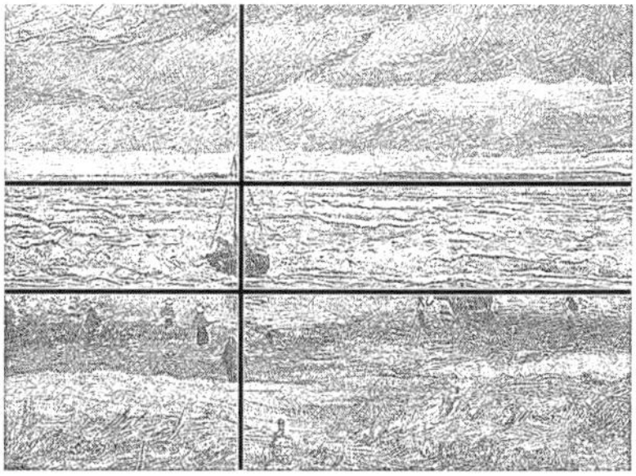

iii

iv

旋律と和声

失われた和音を求めて

和声学（時のなかの数）は、算術（純粋なる数）、幾何学（空間のなかの数）、天文学（時空のなかの数）とともに、ピュタゴラス学派の「四学科（クァドリヴィウム）」をなしていた。黄金比はこれらすべてに共通するテーマである。

プラトンの教えによれば、和声学の意図は、音楽の和声やリズムに含まれる比と比例式に魂をチューニングすることで、単なる臆見（ドクサ）の領域から魂を引き上げることにあった。そのおかげで魂は、真知（エピステーメー）からなる知性界に入り、数学的理性（ディアノイア）の領域を経て、純粋な「形相」、つまり比そのものからなる直観（ノエーシス）の領域へと上昇する。

リズムも和声も比を基に構成されている。もっともシンプルで心地よい音程である完全八度（オクターブ）（振動数の比が 2：1）と完全五度（3：2）は、フィボナッチ数列のはじめの数による黄金比の近似になっている。しかもこの列はさらに長六度（5：3）、短六度（8：5）へと続く。つぎの段階（13：8）は音階そのものだ。なぜなら驚いたことに、1オクターブ離れたドからドまでの間には13個の半音があり、ドレミファソラシドはその中の8音でできているからだ。最後に、シンプルな長和音、短和音は、音階の第1音（ド）、第3音（ミ）、第5音（ソ）、第8音（1オクターブ上のド）で構成されていることに注意しよう。

黄金比は、デュファイ（次頁上を参照）から、バッハ、バルトーク、シベリウスまで、さまざまな作曲家によって、音楽作品の構成法として用いられてきた。ロシアの音楽学者サバニエフの発見（1925年）によると、作品に黄金比がとくに頻繁にあらわれるのはつぎの作曲家たちだという。すなわち、ベートーベン（全作品の97%）、ハイドン（97%）、アレンスキー（95%）、ショパン（92%、ほぼすべての練習曲を含む）、シューベルト（91%）、モーツァルト（91%）、そしてスクリャービン（90%）。

デュファイ作曲、声楽による前奏曲《喜べ、ビザンツ帝国の妃》(1420年頃)

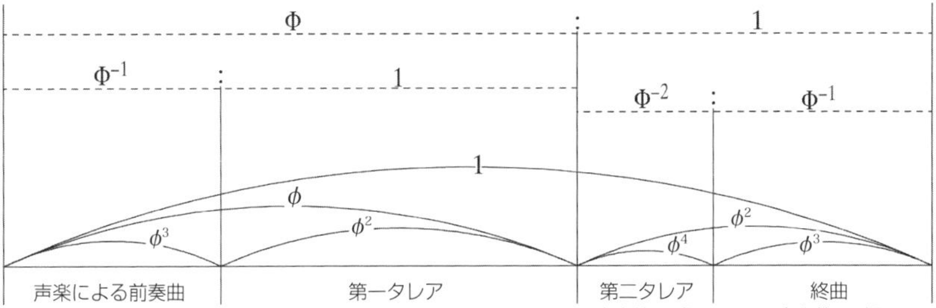

《喜べ、ビザンツ帝国の妃》の構成は黄金比にもとづいている。

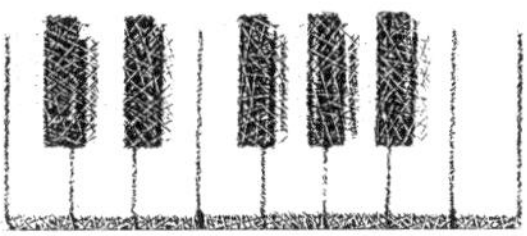

完全八度のうちに、13の鍵盤が存在する。

フィボナッチ数は現代の音階にもあらわれる。それはまたオクターブ(2:1)、完全五度(3:2)、長六度(5:3)、短六度(8:5)のような純和声的音程にもあらわれる。

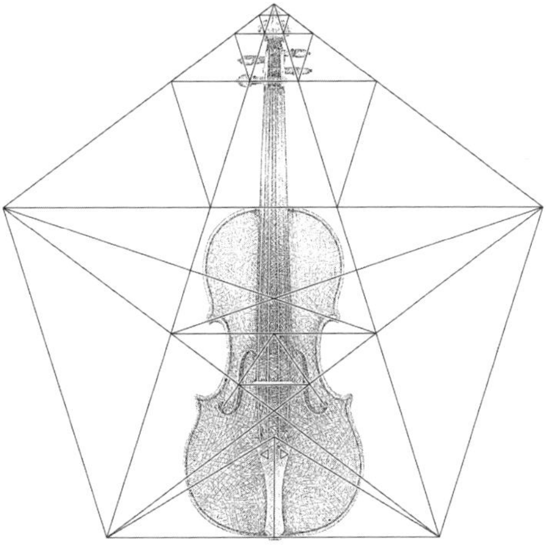

ストラディヴァリウスのヴァイオリン

輝けるもの

必ずしも黄金ならず

今日、我々のハンドバッグや財布のなかには、必ずあのプラスティック·カードが入っている。ほとんどのクレジットカードは86ミリ×54ミリで、これはほぼ正確な8:5の長方形といってよく、フィボナッチ数で近似された黄金長方形のうち、もっともありふれたもののひとつである。

黄金比は、部分を全体に関係づけることができるという特性が表しているその美的な資質ゆえに、現代の家財道具のデザインに多く使われている。コーヒーポット、カセットテープ、トランプ、ペン、ラジオ、本、自転車、コンピューターのスクリーンから、テーブル、椅子、窓、ドアにいたるまで、例をあげればきりがない(次頁図版)。それは文学の世界にまで入り込み、中世の写本のページレイアウト(次頁右下の図)や、ハリー·ポッター·シリーズの、小さな羽のついた金色の球「金のスニッチ」にもあらわれる。

他の重要な長方形もやはり我々の日常生活に紛れ込んでいる。用紙サイズの国際規格(A版)では、黄金比がもっとも完全な形で表現している連続比例式[$\Phi:1::1:1/\Phi$]を真似て、$2:\sqrt{2}:1$という連続的比例式が用いられている。黄金長方形から正方形を取り除くと、小さな黄金長方形ができるのに対応して、$\sqrt{2}$長方形[辺の比が$\sqrt{2}:1$の長方形]を半分に折ると、小さな$\sqrt{2}$長方形が二つできる。だからA3用紙($2:\sqrt{2}$)を半分に折ると、A4用紙($\sqrt{2}:1$)が二つできるのだ。

黄金分割コンパス(次頁の電卓のとなり)は、ありふれた便利な道具である。これはどんな大きさに作ることもでき、興味の赴くままどんなものも黄金分割できる。作り方は比較的簡単だ。まず、同じ長さの棒を三本用意し、それらを黄金分割する位置に印をつける。それから二本の棒は、印のところに穴を開け、残りの一本は印のところで切断する。図のようにa、b、c、dの四箇所で止めて、先を尖らせれば完成だ。

★macy's
CARDHOLDER SINCE 2005
FILTER CIGARETTES
Marlboro
New
330 mL
vanilla
Coke
JAPAN AIR LINES
Nestlé
KitKat
a
b
d
c
CAMEL
FILTERS
TURKISH & AMERICAN BLEND CIGARETTES
FIRST USA
VISA
TDK
IEC II/TYPE II POSITION CHROME
CDing2 90
TDK CDing
NATIONAL GEOGRAPHIC
CHEETAHS
A. Beutelspacher / B. Petri
Der Goldene Schnitt
2., überarbeitete und erweiterte Auflage
Spektrum

黄金の聖杯

√のマリアージュ

プラトンは、学習とは思い起こすことだ、と言った。教師は産婆役であって、学生との親密な交流を通して、共鳴の火花で彼らの情熱をあおり、生まれ持ったアイデアの誕生を促すのである。ひとつの図面を詳細に見てゆくことは、このプロセスを助けることになろう。

下の図には、[一辺が1の正方形をもとに] Φと1/Φに直角を挟まれた直角三角形の斜辺として、$\sqrt{3}$を作図する一方法が示されている。黄金の聖杯（次頁のv図）は、このような直角三角形の斜辺として作図された$\sqrt{3}$と、$\sqrt{\Phi}$と1/Φに直角を挟まれた直角三角形の斜辺として作図された$\sqrt{2}$を組み合わせたものである。クリッチロウの「カイロスの図」（次頁のvi図）は、半径1の円とそれに内接する一辺$\sqrt{3}$の正三角形から、五芒星形（その線分の比がΦと1/Φになっている）を作図したものだ。これらの作図はすべて正しい!

クリッチロウはこうした神聖幾何学の質的、倫理的側面について、次のように記している。「私たちは、不確定な対（ダイアド）、つまり「私自身」と「他者」という二重性を帯びてこの世に生まれ出る。それは「関係性」と呼ばれる成熟に達するまで逃れられない。これは真の意味での「一つになること」であるが、私たちは環境もふくめてすべての他者との関係性という「黄金平均」を通してそれを認識することができるのだ。カイロスの図では、この黄金平均が、三位一体をあらわす正三角形と、生命の象徴である五芒星形を結びつけている」

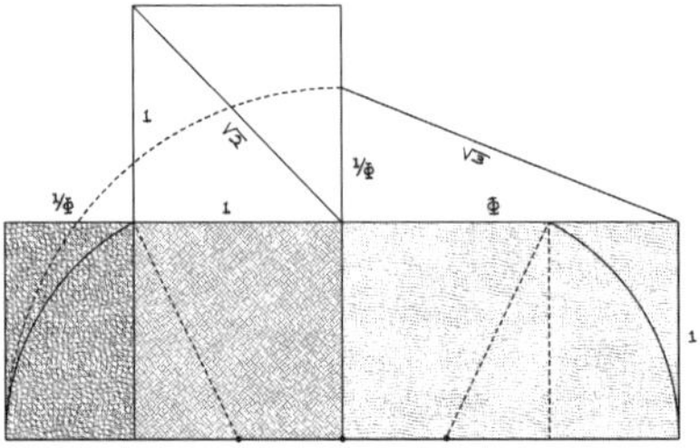

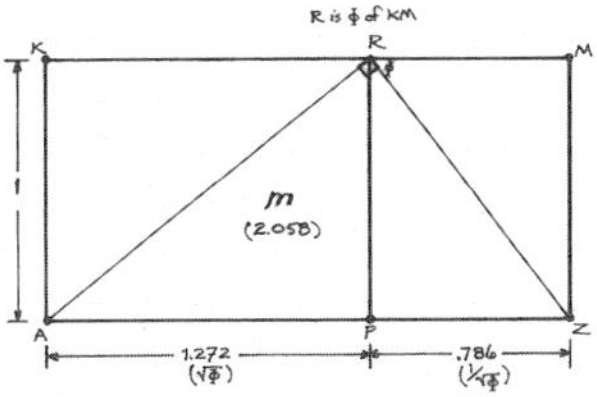

i

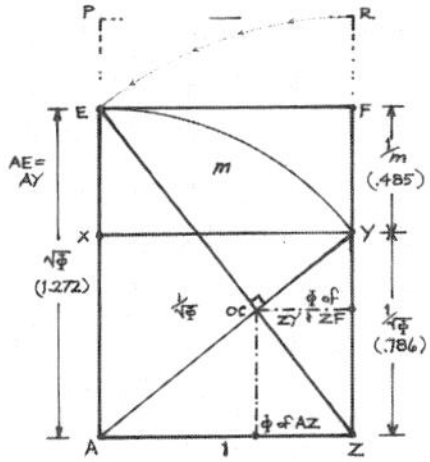

iii

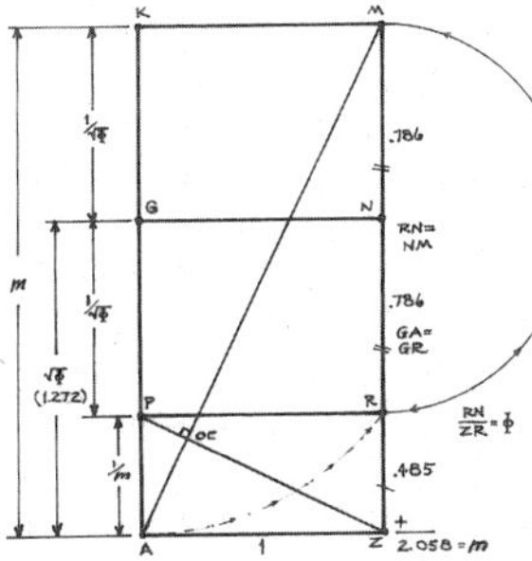

ii

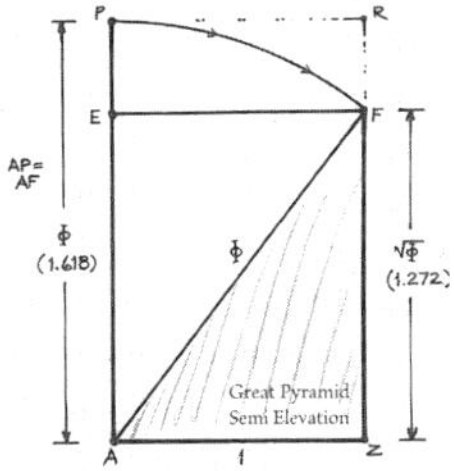

iv

ⅰ）m長方形。RはKMの黄金分割である。
ⅱ）$\sqrt{\Phi}$長方形（AGNZ）から$1/\sqrt{\Phi}$長方形（PGNR）を除いた残りはm長方形（APRZ）となる。90°で交わる対角線の交点として得られる「隠れた中心（occult center）」
ⅲ）「隠れた中心」は、m長方形を黄金比で分割する。
ⅳ）$\sqrt{\Phi}$と大ピラミッドの半正面図
ⅴ）オルセンの「黄金の聖杯」：正方形ABCDは、大きな正方形と小さな正方形の幾何平均である。あなたには、それを確認できるだろうか？
ⅵ）クリッチロウの「カイロスの図」は、正三角形から五芒星形を作図したもの。三角形ABCのA、K、L、Bと、三角形HCIのH、C、Iから五芒星形に引かれた垂線をたどってみよう。また、「この図のなかに正方形が隠れているが、あなたはそれを見つけられるだろうか」

レイノルズの図（ⅰ - ⅳ）は、黄金長方形で成り立っているΦの比の関係を、m（ミュー）長方形（辺の比がm：1の長方形）に拡張したもの。ただし$m = \sqrt{\Phi} + 1/\sqrt{\Phi} = \Phi\sqrt{\Phi} = 2.058\cdots$

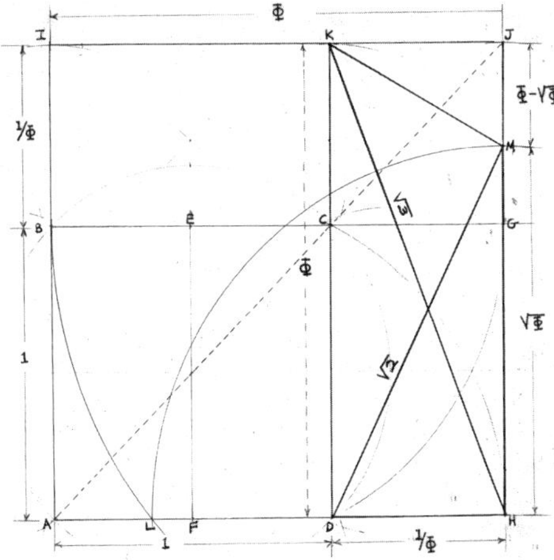

Ⅴ

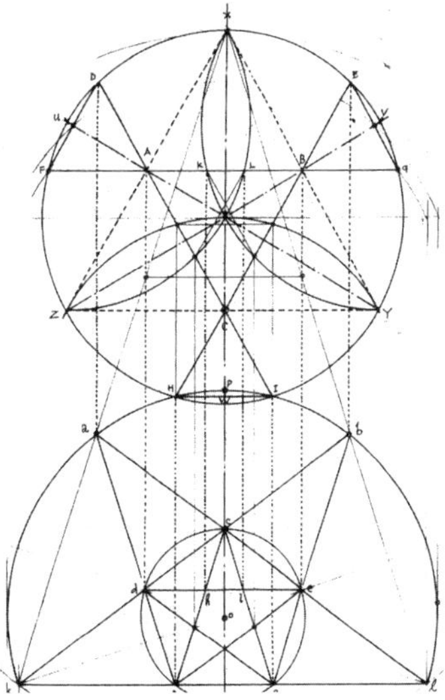

ⅵ

黄金多面体

水、エーテル、そして宇宙

黄金比は三次元空間の多面体においても基本的な役割をはたしている。とくに重要なのは正20面体(下左)と、その双対多面体である正12面体だ(ある多面体の頂点と面の数を入れかえたものをその多面体の双対多面体という。正12面体は正20面体の面の中心を辺で結んでつくられる)。正20面体に埋め込まれた長方形は、辺の比が $\Phi:1$ $(=1:\phi)$ になっている(下左、次頁中央上)。一方、正12面体に埋め込まれた長方形は、辺の比が $\Phi^2:1$ $(=1:\phi^2)$ である(次頁中央下)。正20面体は正8面体に内接し、その頂点は正8面体の辺を黄金分割している(下中央)。ケプラー、ダ･ヴィンチ(次頁背景)、ヤムニッツァー(1頁の左側)らの描いた美しい多面体の図をみると、彼らが5種類のプラトン多面体(正多面体)や13種類のアルキメデス多面体(次頁左上、右上)にみられる黄金比の関係にいかに魅了されていたかがわかる。

このテーマの延長線上にあるのが、正20面体の頂点を切り落として得られる切頂20面体(次頁右上)だ。これは今日、C_{60}[炭素原子60個からなる中空分子]の構造、あるいは単にサッカーボールの形状として知られ、アルキメデス多面体の一つでもある。この立体に埋め込まれた長方形は、辺の比が $3\Phi:1$ になっている。また正20面体か正12面体の頂点をすべて中点まで切り落として得られる20･12面体(次頁左上)では、半径と辺の比が $\Phi:1$ であり、その双対多面体である菱形30面体(次頁左下)は、対角線の比が $\Phi:1$ の菱形30個で構成されている。

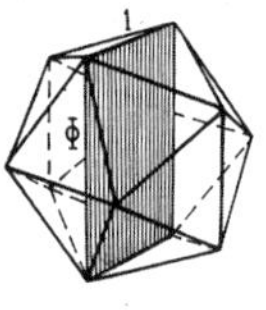

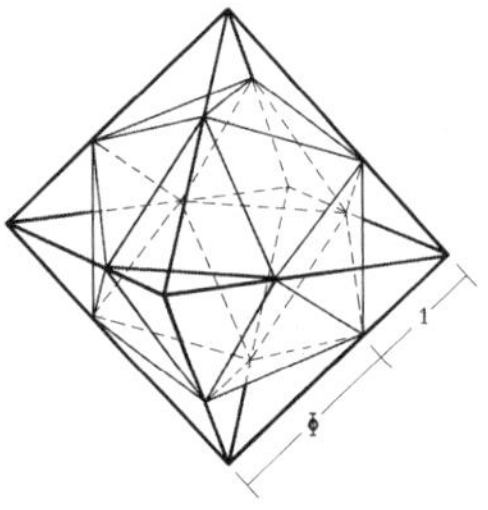

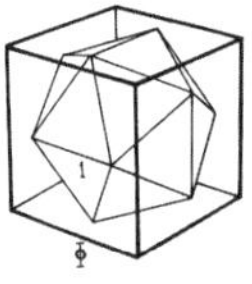

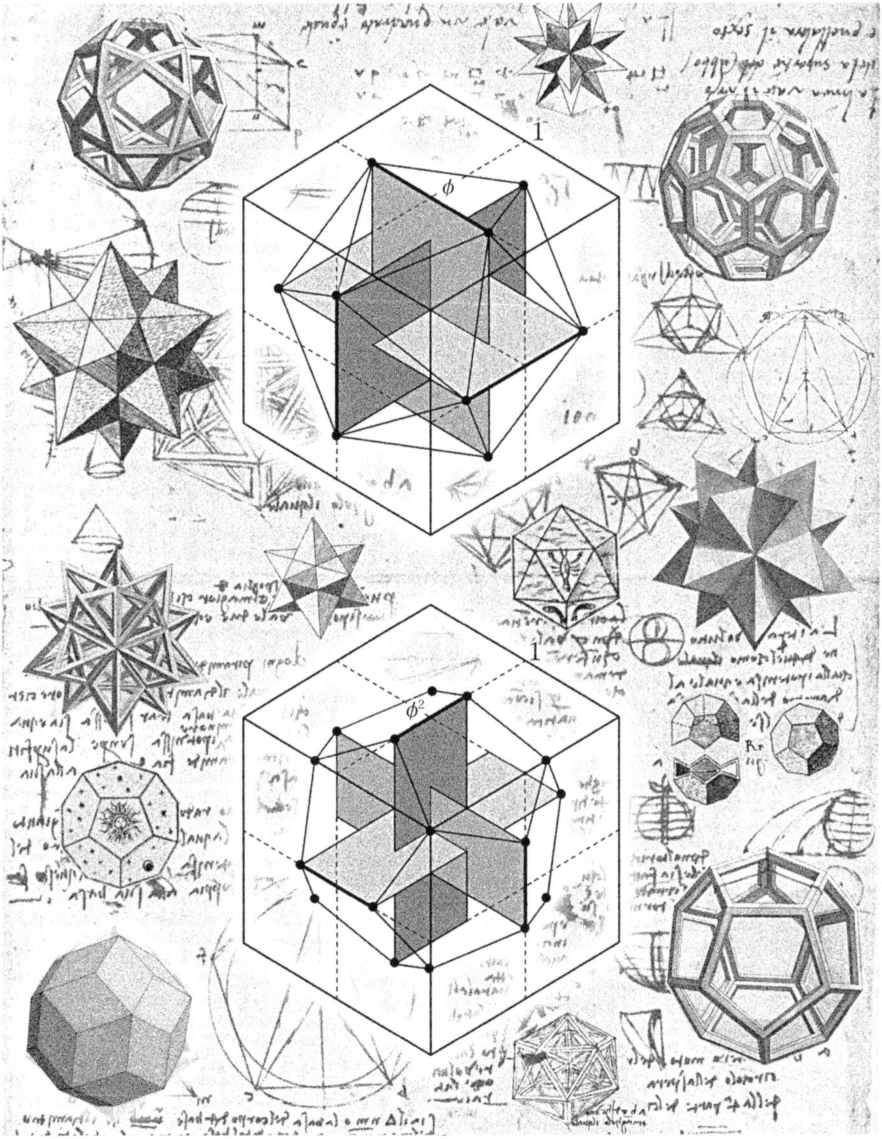
1
ϕ
1
ϕ^2

天空の黄金比

ヴィーナスの黄金のキス

神聖比を好むのは小宇宙ばかりではない。太陽系にも黄金比はあふれており、不思議なことに、とくに地球周辺に多いようである。たとえば、地球と水星の物理的な大きさの比も、太陽のまわりの平均軌道の半径の比も、ともに99%の精度で $\Phi^2:1$ に一致する。次頁左上の図には、これらの平均軌道と五芒星形の関係が示されている。

だが、他の何ものにも比べられないのは、地球と、地球に最も近い惑星である金星（ヴィーナス）の間のただならぬ関係だ。金星は8年周期で我々のまわりにうつくしい5弁のバラ模様を描く。（次頁、左下図）地球の8年は金星の13年にあたるため、フィボナッチ数13:8:5がここにあらわれ、空間と時を結びつける。さらに、金星と地球がもっとも近いときの距離ともっとも遠いときの距離の比は、99.99%の精度で $\Phi^4:1$となる。次頁左上の図には、この比が、二つの入れ子になった五芒星形を使ってあらわされている（図の二つの円の半径の比が $\Phi^4:1$。図はマルティノー）。

惑星のなかで最も大きい木星と土星も、地球を基準に完璧な黄金比をつくり出す。これら三つの惑星が太陽に向かって一直線に並んだ位置からスタートすると、一年後に地球は元の位置に戻ってくる。その間、土星は太陽のまわりを少ししか動かないので、地球は元の位置に戻ってから12.85日後にふたたび土星と太陽の間に入り、これらと一直線をなす。そして、それから20.79日後、今度は木星と太陽の間に入って、これらとふたたび一直線をなす。これらの日数の比をとると、99.99%の精度で $1:\Phi$ に等しくなっている（リチャード・ヒースによる）。

宇宙物理学者ポール・デイヴィスは、さらに大きな宇宙へと目を移し、回転ブラックホールが（質量の二乗）÷（回転速度の二乗）＝Φのときに、負から正までの特殊な熱を放つことを発見した。

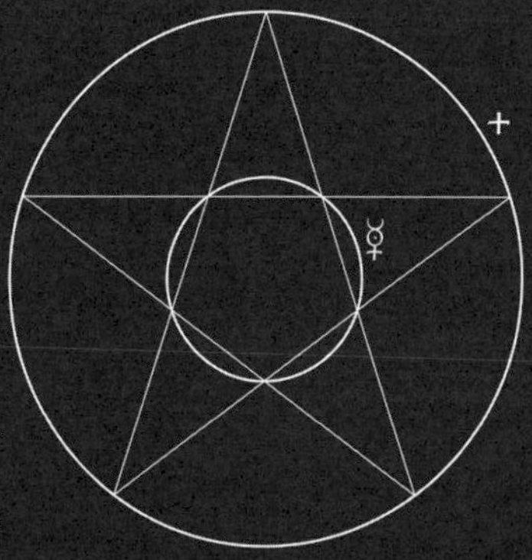

二つの大きな円は、太陽を中心とする地球と水星の平均軌道の半径の比がΦ^2:1に近いことを示している。地球と水星の大きさの比もこれに等しい！

地球と金星の平均軌道を描く方法。地球と金星は、太陽からの距離の比が平均して(1＋1/Φ^2)：1となるように周回している。

地球から見ると、金星は地球に近くなったり遠くなったりしながら、地球の8年(金星の13年)にあたる時間をかけて、美しい5弁のバラ模様を描く。

地球から見て金星が最も遠いとき(つまり金星が太陽の背後にあるとき)と、最も近いとき(太陽の手前にあるとき)の距離の比はΦ^4:1となる。

共鳴と意識

仏陀、呪術師（シャーマン）、そして微小管

意識は人間存在の大いなる謎のひとつである。それは生命そのもの(5弁の花に象徴される。次頁中央)のように、神(全体)と自然(部分)——驚くべきフラクタル性をもつ黄金比によって見事に整えられた自然——との共鳴から生じ、それによってさらに包括的な意識状態を可能にしているのかもしれない。

物理学者ペンローズ(正五角形から切り取った２枚のタイルによる平面充填の考案者。下図と次頁地模様参照)と、彼と共同で意識を研究している医学者ハメロフの刺激的な仮説によれば、意識は微小管の量子力学から生じるという。これが正しいとすれば、意識は幾何学そのものに宿っている、つまりDNAや、微小管や、クラスリンの黄金比に宿っているといってよいかもしれない。微小管というのは細胞中にある可動性の基本的な管状構造で、13本のチューブリンからなり(次頁右上)、8:5の葉序構造をもっている(次頁左上)。クラスリンは微小管の先端に位置し、その形状は切頂20面体で(次頁右下)、いたるところに黄金比がある。マヤ文明のシャーマンは神聖な儀式の深い意識状態にあるとき、聖蛇の口のあたりに煌（きら）めく幾何学模様を見たというが、チューブリンやクラスリンがその正体だったのかもしれない。DNAでさえΦと共鳴している——その二重螺旋構造(次頁中段左右)は、螺旋一周回で長さ34オングストローム、幅21オングストロームという34:21のフィボナッチ比を示す長方形に合致しているし、DNA分子の横断面を上から眺めた形は10角形である(次頁下)。

仏陀は「身体とは、一つの眼である」と言った。Φに誘発された量子コヒーレンス状態において、人は三昧（サマーディ）、つまり自分の意識が宇宙意識そのものと一体化した状態を経験するのかもしれない。

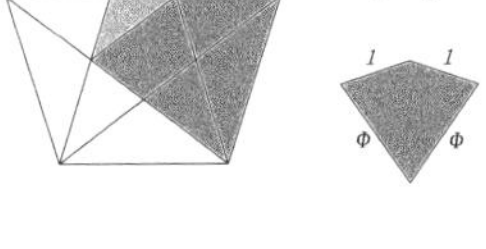

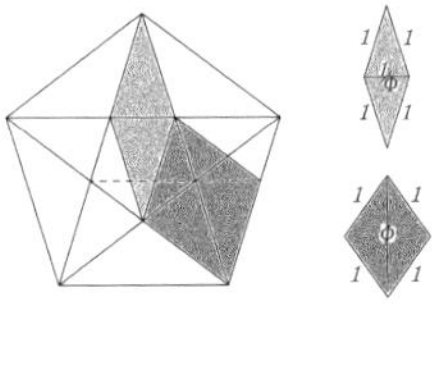

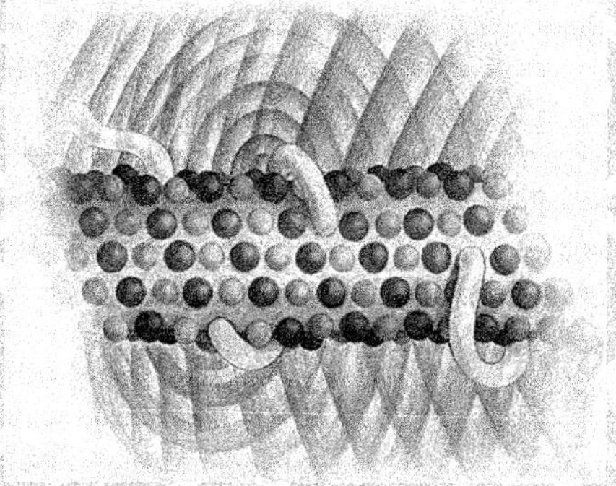

微小管を側面から見たところ

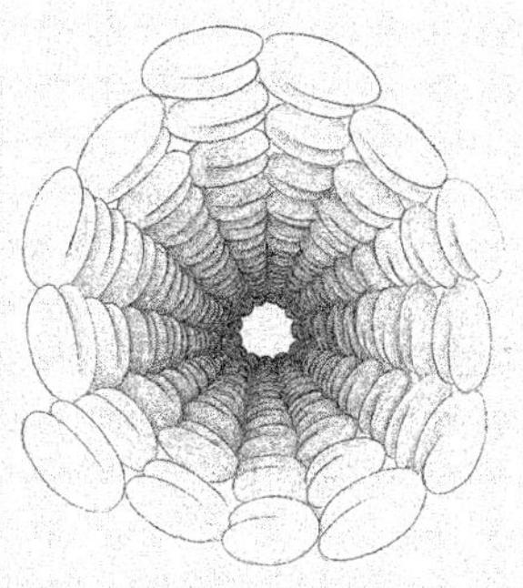

微小管の内部を上から見たところ

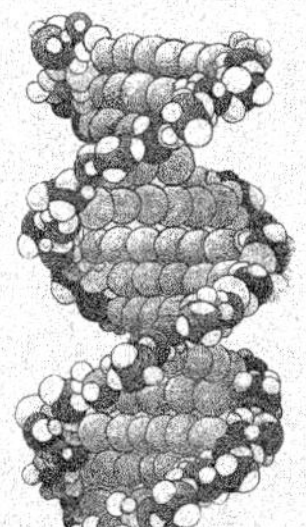

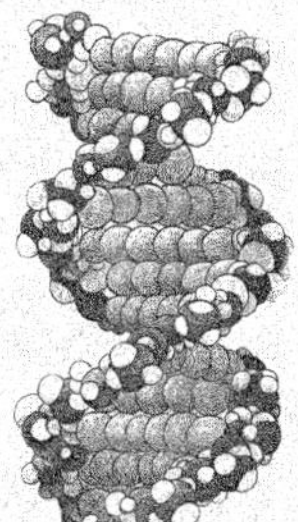

生命を象徴する5弁の花（パブロ・アマリンゴ画）

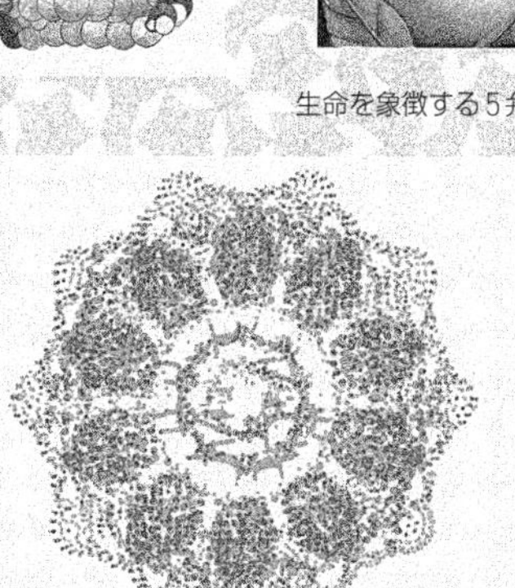

DNAの横断面に見える10弁のバラ模様

クラスリンのサッカーボール状構造

賢者の石

あたらしい展望と洞察——守られた約束

　線分の分割から出発して、意識の本質まで、私たちは長い道のりをたどってきた。本書の目的は、自然の偉大なる秘密である黄金比、もっともシンプルでありながら深遠なるこの非対称的分割を詳しく見ていくことによって、あたらしい展望と洞察を提示することだった。宇宙全体のあらゆるレベルで永く保たれてきた黄金比は、際限のない多様性と秩序ある比のシンメトリーとを合体させ、大きなものから小さなものまで部分と全体を統合し、そこからふたたびさまざまな形のおりなす律動的なシンフォニーへと還っていく。

　私たちは、ともに旅をしてきて、非常に価値あるもの——基本的な知識を黄金の智慧(ちえ)に変える賢者の石——を発見したのではないだろうか。今度あなたがヒトデをつまみあげるとき、歯を磨くとき、絵を鑑賞するとき、松ぼっくりを眺めるとき、サッカーボールを蹴るとき、宵の明星を見つめるとき、花を摘むとき、音楽を聴くとき、いや単にクレジットカードを使うときでも良い、少し立ち止まって考えてみよう。私たちは小さな部分からなる全体でありながら、より大きな全体にとっての部分でもあるのだ。

　これが自然の最も大きな秘密である。黄金比は我々の存在という織物そのものに織りこまれている。そして、一なるものへの帰還の途上で次第に広がってゆく自己認識と自己展開の諸段階にうまくチューニングし、それと共鳴する方法を教えてくれるのだ。

　この深い自然の暗号との結びつきを取り戻し、それと共鳴すること。律動的な形とすばらしい黄金の基準で、私たちの世界と私たちの関係を美しくしてゆくこと。これが人間の義務である。自然が軽々とやってのけているように、我々の義務はこの世界を変えることである。そして、つねにそれを目指してきたように、美しくも平和のうちに共生できる、素晴らしい状態へとこの世界を変換することなのだ。

Φを含む等式

Φの表し方：
黄金比の性質は、$a^2-a=1$という簡単な二次方程式で表される。
この方程式は正·負二つの解をもっている。正の解がΦ、負の解は$-\Phi^{-1}$である。すなわち、

$$\Phi=\frac{(1+\sqrt{5})}{2}、-\Phi^{-1}=\frac{(1-\sqrt{5})}{2}$$

小数で表示すれば $\Phi=1.6180\ldots\ldots$、$\Phi^{-1}=0.6180\ldots\ldots$である。
Φが方程式 $a^2-a=1$の解であることから $\Phi^2-\Phi=1$ つまり $\Phi^2=\Phi+1$

等式 $\Phi^2=\Phi+1$ を①とする。①の両辺をΦで割れば左下の公式が出る。①の両辺に根号√をつければ右下の公式が出る。

$$\Phi=1+\frac{1}{\Phi}、\Phi=\sqrt{1+\Phi}$$

最初の式を使って、Φに右項をくりかえし代入すると、Φは次のようなシンプルな連分数で表される。

$$\Phi=1+\cfrac{1}{1+\cfrac{1}{\Phi}}=1+\cfrac{1}{1+\cfrac{1}{1+\cfrac{1}{\Phi}}}$$

$$=1+\cfrac{1}{1+\cfrac{1}{1+\cfrac{1}{1+\cfrac{1}{1+\cfrac{1}{1+\cfrac{1}{1+\cfrac{1}{1+\ldots\ldots}}}}}}}$$

また、二つ目の式を使って、Φに右項をくりかえし代入すると、Φは次のようなシンプルな入れ子の根号式で表される。

$$\Phi=\sqrt{1+\sqrt{1+\Phi}}=\sqrt{1+\sqrt{1+\sqrt{1+\Phi}}}$$

$$=\sqrt{1+\sqrt{1+\sqrt{1+\sqrt{1+\sqrt{1+\sqrt{1+\ldots\ldots}}}}}}$$

Φ、π、eの近似的関係：
大ピラミッドから$\pi\cong(6/5)\Phi^2$と$\pi\cong 4/\sqrt{\Phi}$という二つの近似式が導かれる。
このほか、近似式 $e\cong\Phi^2+1/10$や、さらに精密な $e\cong 144/55+1/10$にも留意せよ。

Φで表される三角比：

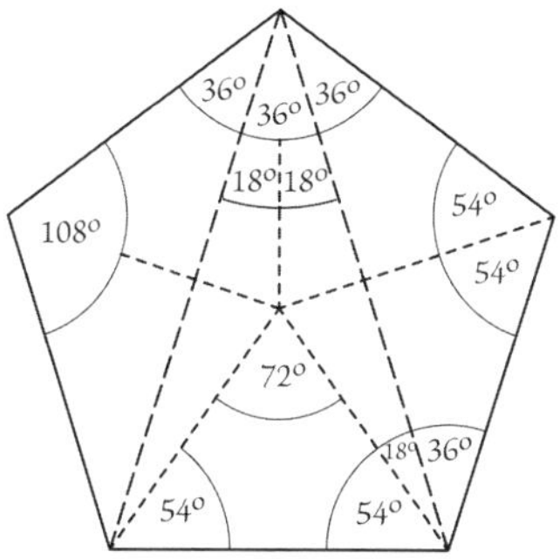

角度θ	Sinθ	Cosθ	Tanθ
18°	$\frac{\sqrt{1-1/\Phi}}{2}$	$\frac{\sqrt{2+\Phi}}{2}$	$\frac{\sqrt{1-1/\Phi}}{\sqrt{2+\Phi}}$
36°	$\frac{\sqrt{2-1/\Phi}}{2}$	$\frac{\sqrt{1+\Phi}}{2}$	$\frac{\sqrt{2-1/\Phi}}{\sqrt{1+\Phi}}$
54°	$\frac{\sqrt{1+\Phi}}{2}$	$\frac{\sqrt{2-1/\Phi}}{2}$	$\frac{\sqrt{1+\Phi}}{\sqrt{2-1/\Phi}}$
72°	$\frac{\sqrt{2+\Phi}}{2}$	$\frac{\sqrt{1-1/\Phi}}{2}$	$\frac{\sqrt{2+\Phi}}{\sqrt{1-1/\Phi}}$

Φ、e、iの結合:

オイラーの公式 $e^{i\pi}=-1$をもとに、

等式 $e^{i\pi}=\Phi^{-1}-\Phi$ が成り立つ。

つぎの二つの等式も同様に成り立つ。

$2\sin(i \ln \Phi) = i$

$2\sin(\pi/2 - i \ln \Phi) = \sqrt{5}$

黄金数列：

Φ は0と1 だけからなる「ウサギ」数列とよばれる無限数列と密接に結びついている。

ウサギ数列（またの名を黄金数列）は00と111を含まず、いろいろな方法でつくることができる:

1011010110　1101011010
1101101011　0110101101
0110110101　1010110110
1011011010　1101011011…

フィボナッチ数列、リュカ数列の公式

フィボナッチ数列の定義：

$F_0 = 0$、$F_1 = 1$、$F_{n+2} = F_{n+1} + F_n$

フィボナッチ数列の初期の項：

n	0	1	2	3	4	5	6	7	8	9	10	11	12	13	14	15
F	0,	1,	1,	2,	3,	5,	8,	13,	21,	34,	55,	89,	144,	233,	377,	610,

16	17	18	19	20	21	22	23
987,	1597,	2584,	4181,	6765,	10946,	17711,	28657,

24	25	26	27	28	29
46368,	75025,	121393,	196418,	317811,	514229 ……

ビネの公式（フィボナッチ数の場合）：

$F_n = (\Phi^n - (-\Phi)^{-n})/\sqrt{5}$

カッシーニの公式（フィボナッチ数の場合）：

$(F_{n-1})(F_{n+1}) - (F_n)^2 = (-1)^n$

フィボナッチ数の負の項：

$F_{-n} = (-1)^{n+1} F_n$

フィボナッチ数の約数：

nの倍数番目のフィボナッチ数はFnの倍数である。いいかえると、Fnはnの倍数番目のフィボナッチ数の約数になっている（数列の最初の0は0番目と数える）。したがって、$F_3=2$より、3の倍数番目のフィボナッチ数はすべて2で割り切れる。つまり、3の倍数項はすべて偶数である。同様に、$F_4=3$より、4の倍数番目のフィボナッチ数はすべて3で割り切れ、$F_5=5$より、5の倍数番目のフィボナッチ数はすべて5で割り切れ、$F_6=8$より、6の倍数番目のフィボナッチ数はすべて8で割り切れる。一般に、mがnの倍数ならば、FmはFnで割り切れる。

フィボナッチ数の和：

${}^{n}\Sigma F_K = F_{(n+2)} - 1$が成り立つ。これは第n項までのフィボナッチ数の和が、第(n+2)項よりも1少ないことを意味している。また、奇数番目のフィボナッチ数の和は次の偶数番目のフィボナッチ数に等しく（$F_1 + F_3 + \cdots + F_{2n-1} = F_{2n}$）、偶数番目のフィボナッチ数の和は次の奇数番目のフィボナッチ数から1を引いたものに等しい（$F_2 + \cdots + F_{2n} = F_{2n+1} - 1$）。

フィボナッチ数の平方：

${}^{n}\Sigma (F_K)^2 = F_n F_{(n+1)}$が成り立つ。これは、第n項までのフィボナッチ数の二乗の和が、第n項と第(n+1)項のフィボナッチ数の積に等しいことを意味する。また、$(F_n)^2 = F_n(F_{(n+1)} - F_{(n-1)})$である。隣り合った二つのフィボナッチ数の二乗の和は、$(F_n)^2 + (F_{n+1})^2 = F_{(2n+1)}$となる。

リュカ数列の定義：

$L_0=2$、$L_1=1$、$L_{n+2}=L_{n+1}+L_n$

リュカ数列の初期の項：

n	0	1	2	3	4	5	6	7	8	9	10	11	12	13	14
L_n	2,	1,	3,	4,	7,	11,	18,	29,	47,	76,	123,	199,	322,	521,	843,

15	16	17	18	19	20	21	22
1364,	2207,	3571,	5778,	9349,	15127,	24476,	39603,

24	25	26	27	28	29
64079,	103682,	167761,	271443,	439204,	710647……

ビネの公式（リュカ数の場合）：

$L_n=\Phi^n+(-\Phi)^{-n}$

カッシーニの公式（リュカ数の場合）：

$(L_n)^2-(L_{n+1})(L_{n-1})=5(-1)^n$

リュカ数の負の項：

$L_{-n}=(-1)^nL_n$

カッシーニの公式：

フィボナッチ数に対するカッシーニの公式（前頁）より、各フィボナッチ数はその両隣の二項の幾何平均にほぼ等しいことがわかる（正確な値を求めるには、平均をとる前に交互に＋1または−1を加える必要がある）。それと同様に、リュカ数に対するカッシーニの公式（上）より、各リュカ数はその両隣の二項の幾何平均にほぼ等しい（正確な値を求めるには、平均をとる前に交互に−5か＋5を加える必要がある）。これら二つの数（フィボナッチ数とリュカ数）はさらに、ビネの公式より導かれる$\Phi^n=(L_n+F_n\sqrt{5})/2$によって関連づけられる。

フィボナッチ数とリュカ数の変換：

$L_n=F_{n+1}+F_{n-1}$。この式は、第n項のリュカ数が、第（n＋1）項と第（n−1）項のフィボナッチ数の和に等しいことを意味している。これより次の式が出る。$L_n=F_{n+2}-F_{n-2}$また、$L_n=F_n+2F_{n-1}$も成り立ち、これより四つの連続したフィボナッチ数の和はリュカ数となることがわかる。最後にシンプルでエレガントな等式$F_{2n}=F_nL_n$と、もう一つの等式$F_n+L_n=2F_{(n+1)}$を挙げておこう。

双曲線関数との関係：

ビネの公式より、つぎのような興味深い等式が導かれる。

$F_{2n}=2\sinh(2n\log\Phi)/\sqrt{5}$

$F_{2n+1}=2\cosh((2n+2)\log\Phi)/\sqrt{5}$

$L_{2n}=2\cosh(2n\log\Phi)$

$L_{2n+1}=2\sinh((2n+1)\log\Phi)$

不確定なダイアド

プラトンはピュタゴラス学派に属していたため、彼らが見いだした神聖なる数学的秩序を決して外には漏らさないという神聖な誓いを守らなくてはならなかった。彼もピュタゴラスと同様に、エジプトで当地の神官たちと共に長きにわたって数学の秘密を研究し、著書のなかでは、深い真実に謎めいた覆いをかけることによってそれらを意図的に隠していた。教師として、また著述家として、プラトンは師ソクラテスの産婆術を実践し【知識を教え込むのではなく相手から引き出すことを、ソクラテスは自分の母親の仕事にならって「産婆術」と呼んでいた】、アカデメイアでも対話篇の中でも、特異な難問や問題、そして不完全な解答を、暗示的なヒントと共に挙げていた。対話篇の読者はその特異な難問に対する答をおびき出さなければ（推測しなければ）ならなかった。アカデメイアの学徒たちには、あたえられた立方体の2倍の体積をもつ立方体を作る問題（立方体倍積問題）や、明らかに不規則な惑星の動きを「整合性が保たれる」ようにうまく説明できる宇宙の理論を考える問題があたえられた。

対話篇の中で、プラトンは相互に関連しあった幾つかの問題を慎重に選び、それらをきわめて巧妙に設定している。それらの問題をすべて合わせると、黄金比とその逆数――不確定なダイアドをなす《大なるものと小なるもの》――に秘められた大いなる神秘への方向が示されるのだ【ダイアドとは、二つのものをひとまとまりのものとして見た「対」のこと】。形相、数学的対象、そして感覚的事物というヒエラルキーは、《一なるもの》（対話編の《善》）と、不確定なダイアドの《大なるものと小なるもの》が、どのように組み合わさることによって生まれるのか。アリストテレスの他、何人かのアカデメイア学徒の著作をみると、プラトンは記録されなかった講義においては、その深い真実をもっとオープンに明かしていたことがはっきりとわかる。たとえばアリストテレスの『形而上学』[987b19-22]にはつぎのように書いてある。

「形相は他のあらゆる存在の原因であるから、それらの構成要素はあらゆる存在の構成要素であると彼は考えた。質料としては《大と小》が原理であり、実体としては《一なるもの》が原理である。なぜなら《一なるもの》に《大と小》が関わることによって、そこから形相や数が生じるのだから」。しかし、アカデメイア学徒にとってさえ、このような教えは当然わかりにくいものだった。シンプリキウスの『アリストテレス「自然学」注解』[187a12]には次のように記されている。

「プラトンは感覚的事物についても、《一なるもの》と《ダイアド》が第一原理だと言っていた。彼はまた「善について」の講義のなかで、思惟の対象にも不確定なダイアドを置いてそれが無限だと言い、《大と小》を第一原理としてそれらが無限だと言っていた。アリストテレス、ヘラクレイデス、ヒスティアイオスなど、プラトンの門人たちは講義に参加し、師の口から出た謎めいた言葉遣いどおりにこれらの言葉を書き留めた」

『パルメニデス』[133b]のなかで、プラトンは『最大の難問』を挙げている。それは、非物質的な知性界と物質的な感性界がどうして接触したり相互作用したりできるのか、というものだ。プラトンは『ティマイオス』[31b-32a]のなかで、これら二つの世界を結びつけるもので最もすぐれているのは連続比例式であることを明らかにした。これはそこに幾何平均の関係式が介在していることを意味する。ここから数列1、2、4、8と数列1、3、9、27からなる、いわゆるラムダ型図表（本文p.5）があたえられるのだ[35b-36b]。プラトンはまた『国家』[509d]のなかで、線分を等しからざる二つの部分にわけよ、という問題を出すことで、それらが知性界と感性界を表そうとした。実際には、すべての分割のなかで最もシンプルな黄金分割によって、全体と部分との間に連続比例式を成立させよ、と教えているのである。そのように分けた二つの線分を、同じ比、つまり黄金比でさらに分割すれば、できた四つの線分のあいだに、Φ:1::1:1/Φというたいへん興味深い比例式が成立する（下図を参照）。

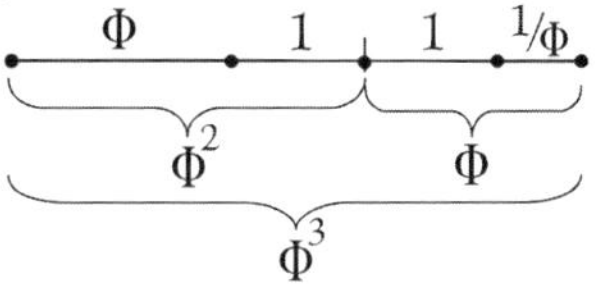

これを見ると単位元としての1がΦと1/Φの幾何平均になっており、この比例式はΦ:1:1/Φとも書ける。私はこれらの比例式を、《大なるもの：単位元：：単位元：小なるもの》、つまり、《大なるもの：単位元：小なるもの》と見る。そうすれば『最大の難問』は連続比例式を通して解決される。知性界と感性界は、黄金比のマジックを通して、大なるもの

と小なるものと単位元との上のような関係のなかで互いに結び合い、絡み合い、融け合っているのである。

さらにいえば『ティマイオス』には、正十二面体の作図に必要な三角形についての記述がない。プラトンはこの正多面体が宇宙そのものを表すと謳(うた)っていたのだから、この欠如はいやでも目につく。記述がないのはもちろん、この三角形を出せば黄金比を公然と認めざるをえないからだ。それでも彼は立方体の作図のために$\sqrt{2}$ 二角形（下図II）をあたえ、正四、正八、正二十面体の作図のために$\sqrt{3}$ 三角形（図III）をあたえている。また$\sqrt{3}$ 三角形を使って第三の三角形、すなわち正三角形が描けることも指摘している。

I

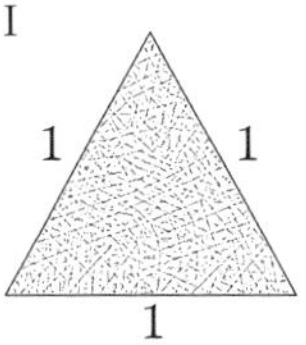

II

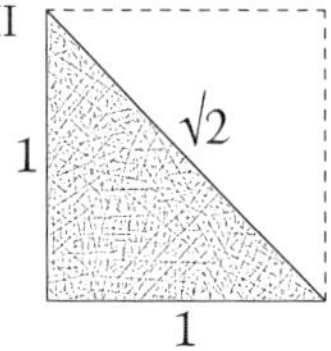

プラトン亡き後、アカデメイアの学頭となった甥のスペウシッポスは、今でもその断片が遺る著書『ピュタゴラス数について』のなかで、三辺がすべて等しい正三角形は単位元、つまり1をあらわし、二辺が等しい二等辺三角形は2を、そして三辺とも長さが異なる$\sqrt{3}$ 三角形は3をあらわすと述べている。

プラトンは『ティマイオス』の中で、$\sqrt{2}$ 三角形と$\sqrt{3}$ 三角形がもっとも美しい三角形だと明言している。しかし同時に彼は洞察力のある読者に対し、次のようなヒントも与えている。

「そこで我々はこれらを、火やその他の物体の始原(アルケー)とみなします。しかし、これらに先立つ諸始原(アルカイ)は神だけが知るのであり、人間でいえば神に愛された者だけが知っているのです」［ティマイオス53d-e］つまりプラトンは、これらの三角形に先立つ原理が本当に存在するとほのめかしているのだ。じっさい私は、これらの原理が、『ティマイオス』に書かれていない第四の三角形——正十二面体の作図に必要な三角形（下図IV）—— のうちに見出せるはずだと考える。プラトンは続けていう。

III

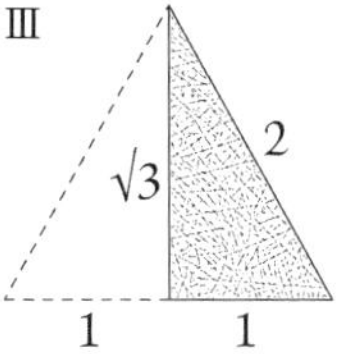

IV

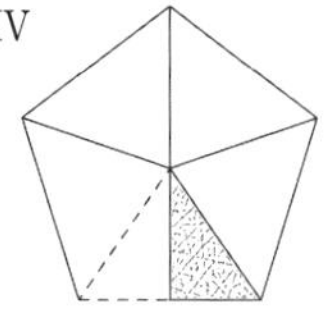

「ですから、これらの物体の作図のために、我々が挙げたものよりもっと美しい形相を挙げることのできる人がいるならば、その人こそ我々の敵としてではなく友として勝利の栄冠を勝ち取るのです。さて、

我々が多くの三角形のなかで最も美しいと考える三角形は……二つ合わせるとすべての辺が等しい第三の三角形になるような三角形です。その理由はあまりにも長くなるのでここでは述べません。しかし我々のその主張が誤りであることを証明し、我々が間違っていることを示す人がいれば、その人は当然、味方として勝利の栄冠を得ることになるでしょう」
［ティマイオス54a-b］

プラトンがここで第三の三角形――正三角形――を名指ししていることは特に意味がある。この三角形は1をあらわす、とスペウシッポスがはっきり述べているからだ。$\sqrt{2}$三角形は2をあらわし、$\sqrt{3}$三角形は3をあらわす。ところがピュタゴラス学派では、四段の数からなるテトラクティス（下図）に絶大な信が置か

```
●                      1
  ●  ●               2  3
 ● ● ●             4  5  6
● ● ● ●          7  8  9  10
```

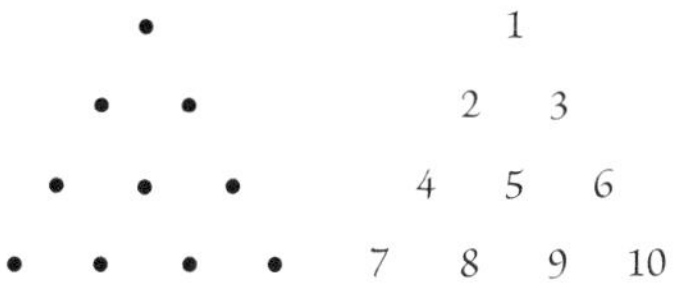

れていた。それに『ティマイオス』は、つぎに見るように、非常に意味深長な謎めいた言葉ではじまっている。
「1人、2人、3人。おや、ティマイオス、4人目の人はどこにいるのですか? 昨日、わたしが馳走したので、今日はあなたた

ちがもてなしてくれるということでしたね」
客のひとり、哲学者は病気なのだ。この冒頭部でプラトンが意図しているように、彼の不在はいやでも目につく。四番目の客、それはここに書かれていない第四の三角形にほかならない。その三角形を使えば正十二面体が作れるはずだが、それを出せば黄金比の秘密が危うくなる。そればかりか、宇宙そのものの背後にひそむあの原理、つまり《一なるもの》と《大なるもの（Φ）と小なるもの（1/Φ）からなる不確定なダイアド》の秘密まで暴かれてしまうかもしれないのだ。（$\sqrt{2}$と$\sqrt{3}$がまさしくΦと1/Φから導かれている43ページの図5を参照せよ）

決め手はアレクサンドロスの『「形而上学」注釈』の一節にある。プラトンに関するアリストテレスの鋭い観察を、アレクサンドロスはつぎのように書く。
「等しいものと等しからざるもの〔つまり《一なるもの》と《不確定なダイアド》〕が、あらゆるもの――みずからの力で存在しているものとそうでないものの両方――の第一原理であることを証明するため、彼は、等しいものとはモナド【古代ギリシア哲学で神あるいは第一存在を意味する】のことで、等しからざるものとは過剰と不足のことだと考えた。というのは、

不等は二つのもの——大と小、つまり過剰と不足——を含むからである。そこで彼はこれを不確定なダイアドと呼んだ。なぜなら過剰も不足もそれ自体では確定しないからだ。しかし彼によれば、この不確定なダイアドも《一なるもの》に制限されれば数のダイアドになるという」。そして知ってのとおり、大なるものと小なるものとの差に一なるものを加えれば、それは近似的にではなく正確に二なるものとなる。つまり《大なるもの−小なるもの+単位元=二なるもの》、いいかえると(Φ−1/Φ)+1=2 となるのだ。

最後に、黄金比とその逆数が、単位元とともに幾何平均の関係をとおして標準的比例関係を定めることに注目しよう。これはたんに《真》——宇宙が本当のところはどのように展開しているか——に関係するだけではなく、《善》と《美》にも関係する。プラトンは『ポリティコス(政治家)』[284a1-e8]のなかでつぎのように述べている。

「このように彼らが標準としての中間(Mean)を保っていれば、彼らの仕事はすべて善いもの、美しいものとなるのです。……大なるもの〔G〕と小なるもの〔L〕は、互いの関係のなかで測られる〔G:L＝Φ2〕だけでなく、標準としての平均(Mean)を定める関係〔G:1=Φと1:L=Φ〕のなかでも測られなければなりません。……(測定術の)もうひとつの分野では、(長さや深さや幅などを、反対のものとの関係で——どちらが長いか、深いか、広いかで——測るのではなく)《ほどほど》とか、《ちょうどよい》とか、《適正》とか、《正当》とかいった言葉で形容されるすべての標準、つまり極端と極端のあいだに位置する平均との関係で測ります」。こうして美学(美)と倫理学(善)への広がりが見えてくる。はたしてアリストテレスは、過多と過少の両極端のあいだにある中庸の黄金比という概念を提唱した。たとえば勇気は、無謀や臆病という両極端より望ましい。

このように、不確定なダイアドは、単位元と関係づけられることによって真、善、美の基礎を提供する。ヨハネス・ケプラーは偉大なる神秘の本性を、次のようなシンプルな言葉で隠蔽しながら明かしている。

「幾何学には二つの偉大なる宝物がある。ひとつはピュタゴラスの定理であり、もうひとつは中外比【黄金比のこと】による線分の分割である。前者は黄金のものさしにたとえられ、後者は貴重な宝石と呼べるだろう」[これは論文(建築と数学 ネクサス·ジャーナルvol.4 no.1に初出)の概略である。]

ハンビッジの長方形（設計者の長方形）

キーワード（ハンビッジによる）：wsは黄金長方形、s は正方形、v5 は隣り合う二辺の比が 1: $\sqrt{5}$ の長方形を意味する。

リュカ数列の不思議(追記)

1990年代初期、英国の研究者であるロビン·ヒースが奇妙な事実を発見した。太陽と月と地球を結びつける数はすべて、18と19というキーナンバーを中心に、黄金比を演算で組合せたものとして書けるのだ。太陽と月が18と19を好むことの証拠は、メトン周期とサロス周期によって示されている。メトン周期とは、ある日に満月になってから(たとえば1月1日)、暦上の同じ月日(1月1日)にふたたび満月になるまでの時間をさすが、これは19年である。またサロス周期とは食が起こってから、同じ暦上の月日にふたたび食が起こるまでの時間のことだが、こちらは18年である。

さらに、地球から観たときに月軌道と黄道が交わる「月の交点」は、黄道上を一周するのに18.618年、つまり18に黄金比0.618を加えた年数がかかる。ヒースはまた、この18.618という数を二乗すると346.63になり、これは食年を日数で表した値に非常に近い、という驚くべき発見をした(食年とは、太陽が同じ月の交点に戻ってくるまでの時間の長さであり、その交点は太陽や月、惑星の動きとは逆行して、黄道上をゆっくり移動する)。この数(346.63)にマジックナンバー18.618を加えると、地球の1年の日数である365.25が生じるが、これは18.618×19.618の値でもある。最後に、この数(365.25)にさらに18.618を加えると383.87となるが、これは13朔望月、つまり13回目の満月がくるまでの日数であり、18.618×20.618に等しくなっている。

18がリュカ数($18=\Phi^{6}+\Phi^{-6}$)であることを考えると、これまでの説明を次のように表すことができる。

食年

$=18.618\times18.618$ 日

$=(\Phi^{6}+\Phi^{-6}+\Phi^{-1})^{2}$ 日

太陽年

$=18.618\times19.618$ 日

$=(18+\Phi^{-1})(18+\Phi)$

これはリュカ数のマジックによって

$(\Phi^{6}+\Phi^{-6}+\Phi^{-1})(\Phi^{6}+\Phi^{-6}+\Phi)$ 日

と書ける。

13朔望月

$=18.618\times20.618$ 日

$=(\Phi^{6}+\Phi^{-6}+\Phi^{-1})(\Phi^{6}+\Phi^{-6}+\Phi^{2})$ 日

葉序の開度

1/2 180°	ニレの木、ライム、カバの木、アメリカ菩提樹、穀草類、ブドウ、一部のイネ科の植物
1/3 120°	ブナの木、ハシバミ、ハンの木、セネキオ、ブラックベリー、スゲ、チューリップ、一部のイネ科の植物
2/5 144°	カシの木、サクラ、リンゴ、西洋ヒイラギ、プラム、アプリコット、コースト・ライブ・オーク、カルフォルニア月桂樹、ペパー・ツリー、マンザニータ、ノボロギク、カラシ、クリスマス・ベリー、マドロナ
3/8 135°	ポプラ、西洋ナシ、シダレヤナギ、バラ、トウダイグサ、ニセアカシア（棘の配列）、キャベツ、ラディッシュ、亜麻、オオバコ
5/13 138.5°	アーモンド、マキバブラシノキ、ネコヤナギ、トウヒ、ジャスミン、クランベリー、リーキ
13/34 137.6°	松、モクレン

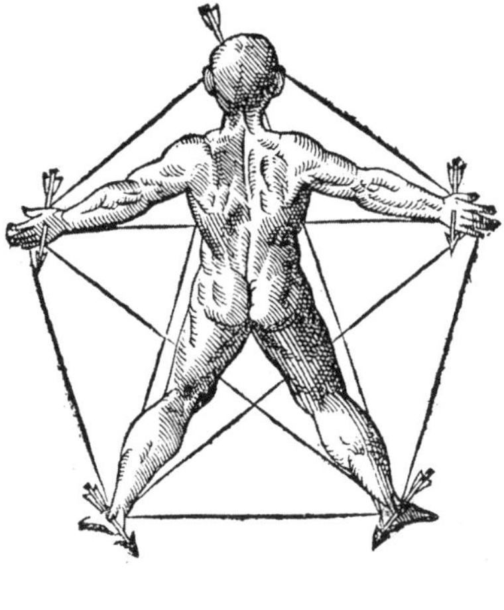

6－8頁の訳注

6頁

(1)長い線分を1、全体の長さをΦとすると、(全体):(長い線分)＝Φ:1。これが(長い線分):(短い線分)＝1:(短い線分)にならなければならないので、短い線分の長さは1/Φでなければならない。一方、(長い線分)＋(短い線分)＝(全体)なので、それぞれの長さを代入して1＋1/Φ＝Φが成り立つ。この式の両辺にΦをかけて整理すると$\Phi^2-\Phi-1=0$。この二次方程式を解くと$\Phi=(1+\sqrt{5})/2$となる。$\sqrt{5}=2.236$…の値を入れて近似値を出すとΦ＝1.628……となり、短い線分の長さである1/Φ＝0.618……となる。

(2)定義より$\phi=1/\Phi$だから、その積は1となる($\Phi\times\phi=\Phi\times1/\Phi=1$)。また上でつくった式1＋1/Φ＝Φの1/Φを$\phi$に置きかえてよいから($1/\Phi=\phi$なので)、$1+\phi=\Phi$となる。ここから$\Phi-\phi=1$がわかる。

(3)さきほどの二次方程式　$\Phi^2-\Phi-1=0$より$\Phi^2=\Phi+1$。Φ＝1.618…だから、これに1を加えた値は2.618…となる。

(4)全体の長さを1にとると、大きい方の黄金比がΦであることから、長い方の線分の長さはそれをΦで割った1/Φとなり、短い方の線分の長さはそれをさらにΦで割った$1/\Phi^2$となる。

(5)短い線分の長さを1とすると、大きい方の黄金比がΦであることから、長い線分の長さはそれにΦをかけた1×Φ＝Φとなり、線分全体の長さはさらにΦをかけたΦ^2となる。

8頁

(6)黄金三角形から、その等辺を底辺とする二等辺三角形を切り取ると、残りの小さな三角形はやはり黄金三角形となる。そこで、これと同じ作業をくり返すことによって、黄金三角形の中に無限に小さい黄金三角形をつくっていくことができる。それらの頂点をつないでいくと黄金螺旋ができる。

(7) 1. あたえられた線分を等分する。2. 等分された各線分の上に、その長さを一辺とする正方形を描くと、辺の比が1:2の長方形ができる。3. その長方形に、右上の角と左下の角を結ぶ対角線をひく。4. 長方形の右上の角を中心とし、短辺を半径とする円を描く。5. その円と対角線との交点から、長方形の左下の角までの長さを半径とし、左下の角を中心とする円を描く。6. その円と最初の線分との交点が、もとめる黄金分割点である。

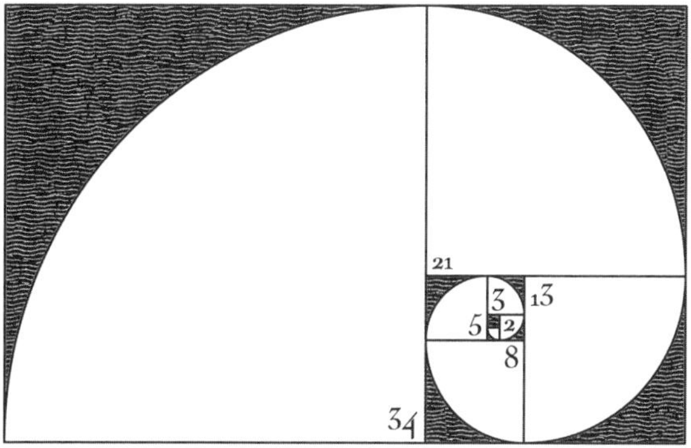
21
3
13
5
2
8
34

著者 ● スコット・オルセン

哲学者、比較宗教学者。セントラルフロリダ短期大学教授。
“*Compositions in Two Languages*” など著作多数。

訳者 ● 藤田 優里子（ふじた ゆりこ）

英文訳者。訳書に『ルーン文字』『リトル・ピープル』（本シリーズ）、『時の終わりへ メシアン・カルテットの物語』（アルファベータ）、『アメリカ最高の医師が教える ガンに勝つ極意』（サンマーク出版）など。

黄金比 自然と芸術にひそむもっとも不思議な数の話

2009年11月10日第1版第1刷発行
2024年6月10日第1版第26刷発行

著　者　スコット・オルセン
訳　者　藤田 優里子
発行者　矢部 敬一

発行所　株式会社　創元社
https://www.sogensha.co.jp/
本　社　〒541-0047 大阪市中央区淡路町4-3-6
Tel.06-6231-9010　Fax.06-6233-3111
東京支店
〒101-0051 東京都千代田区神田神保町1-2 田辺ビル
Tel.03-6811-0662
印刷所　図書印刷株式会社
装　丁　WOODEN BOOKS／相馬光（スタジオピカレスク）

ISBN978-4-422-21475-7 C0340